[illegible]elf drwy Lygad Craff
John Gibbs a gwerth[illegible]r yng Nghymru 1945-1996

An Art-Accustomed Eye
John Gibbs and art appreciation in Wales 1945-1996

Peter Wakelin

Cyhoeddwyd gyntaf yn 2004 gan
Amgueddfeydd ac Orielau Cenedlaethol Cymru
Parc Cathays
Caerdydd
CF10 3NP
Cymru.

ISBN 0 7200 0555 8

Cynhyrchu: Mari Gordon
Dylunio: Arwel Hughes a The Info Group
Testun Cymraeg: Pennawd a Catherine Jones
Argraffu: MWL Print Group

First published in 2004 by
National Museums & Galleries of Wales
Cathays Park
Cardiff
CF10 3NP
Wales.

ISBN 0 7200 0555 8

Production: Mari Gordon
Design: Arwel Hughes and The Info Group
Welsh language text: Pennawd and Catherine Jones
Print: MWL Print Group

David Jones (1885-1974), *Pleserlong,* dim dyddiad, tua 1931-2, olew ar fwrdd, 49.5x59.8cm
David Jones (1885-1974), *Pleasure Steamer,* undated *c.*1931-2, oil on board, 49.5x59.8cm

Rhagair

Mae Amgueddfeydd ac Orielau Cenedlaethol Cymru yn ddiolchgar iawn i aelodau teulu Gibbs am fenthyg lluniau o'u cartrefi ar gyfer gwaith ymchwil a ffotograffiaeth am fisoedd lawer wrth baratoi'r arddangosfa hon. Nodwedd o'u haelioni yw eu bod yn hapus i ni eu dangos nhw nid yn unig fel gweithiau celf, ond hefyd fel ffordd o archwilio'r broses o greu un o gasgliadau preifat mwyaf diddorol ac anghyffredin Cymru yn ail hanner yr ugeinfed ganrif. Yn ogystal, hoffem ddiolch i'r benthycwyr eraill, yn arbennig ymddiriedolwyr Casgliad yr Eglwys Fethodistaidd o Gelf Gristnogol Fodern ac Oriel Gelf Glynn Vivian, Abertawe.

Fel aelod o Bwyllgor Celf Cyngor yr Amgueddfa yn ystod y 1970au a'r 1980au, roedd John Gibbs bob amser yn rhywun i droi ato am gymorth a chyngor. Roedd yn wylaidd dros ben am ei wybodaeth am Foderniaeth Brydeinig a'r byd celf gyfoes yng Nghymru, ond cafodd effaith fawr ar ddatblygiad casgliad yr Amgueddfa ei hun. At hynny, a'r tu hwnt i gwmpas y llyfr hwn, roedd yn awdurdod ar borslen Regency Abertawe a Nantgarw, ac ychwanegodd at gasgliad a etifeddodd drwy'r teulu. Trwy hynny, deffrodd ddiddordeb o'r newydd yn y rhan yma o'r casgliad celf gymwysedig, a helpu i sefydlu polisi o roi'r darnau yn eu cyd-destun ynghyd â darnau o ffatrïoedd eraill y cyfnod.

Mae gen i, ac aelodau eraill o'r Adran Gelf yn y cyfnod hwnnw, atgofion melys am gyfeillgarwch a charedigrwydd John a Sheila Gibbs, a'u diddordeb ynom ni fel unigolion. Pan fyddai rhywun yn galw heibio i'w cartref yn Portland Close, roedd eu lluniau gymaint rhan o'u hamgylchedd bob dydd nes y byddai'ch llygaid yn rhedeg drostynt cyn aros yn sydyn wrth sylweddoli pa mor dda oedden nhw, a syfrdanu braidd. Mae gwaith ymchwil Peter Wakelin yn dangos sut cafodd y casgliad hwnnw ei greu, ac yn esbonio sut roedd celf gymaint rhan o'u bywydau.

Oliver Fairclough, Ceidwad Celf Amgueddfeydd ac Orielau Cenedlaethol Cymru

Foreword

The National Museums & Galleries of Wales is most grateful to the Gibbs family for the loan of pictures from their homes over many months in preparation for the exhibition and this book. It is typical of their generosity that they were happy for us to show them not just as works of art, but also as an exploration of the process of assembling one of the most interesting and unusual private collections formed in Wales in the second half of the twentieth century. We would also like to thank other lenders to the exhibition, especially the trustees of the Methodist Church Collection of Modern Christian Art and the Glynn Vivian Art Gallery, Swansea.

As a member of the Art Committee of the Museum's Council in the 1970s and 1980s, John Gibbs was a constant source of support and advice. His knowledge of British Modernism and the contemporary scene in Wales was worn very modestly, but it had a significant impact on the development of the Museum's own collection. Furthermore, and outside the scope of this book, he was also an authority on the Regency porcelains of Swansea and Nantgarw, who added to an inherited family collection. He was therefore to encourage a renewed interest in that part of the applied art collection, and a policy of contextualising it with pieces from other factories of the period.

I and other members of the Art Department at that period have strong memories of John and Sheila Gibbs's friendship and personal kindness, and their interest in us as individuals. When one visited their home, their pictures were so much part of their everyday surroundings that one's eyes would initially run over them, before being brought to a sudden stop as one realised, almost with shock, just how good they were. Peter Wakelin's research reveals how that collection was assembled, and explains how integral art was to their lives.

Oliver Fairclough, Keeper of Art, National Museums & Galleries of Wales

Diolchiadau

Rwy'n ddiolchgar i'r canlynol am eu cymorth wrth baratoi'r cyhoeddiad hwn a'r arddangosfa gysylltiedig: Michael Tooby, Oliver Fairclough, Ann Sumner, Tim Egan, Louisa Briggs, Christine Mackay, Rachel Turnbull, Kevin Thomas, Arwel Hughes, Mari Gordon a David Jenkins o Amgueddfeydd ac Orielau Cenedlaethol Cymru, a William Gibbs, John ac Elizabeth Gibbs, Benjamin Gibbs, Abigail Gibbs, Joseph Gibbs, Alun Burge, Clive Hicks-Jenkins a Rex Harley. Rwy'n ddyledus i'r bobl eraill rwyf wedi tynnu ar eu gwaith, ac yn enwedig James Gibbs am hanes bywyd ei fam, John a William Gibbs am y wybodaeth y maent wedi ei chronni am weithgarwch casglu celf eu rhieni, a Roger Wollen, sydd wedi ysgrifennu hanes diffiniol ar Gasgliad yr Eglwys Fethodistaidd o Gelf Gristnogol Fodern.

Hoffwn gyflwyno'r llyfr hwn er cof am Sheila Gibbs a fu farw yn ystod y gwaith o'i baratoi. Er nad oeddwn i'n adnabod John Gibbs, cefais i'r pleser mawr o sgwrsio â Sheila sawl gwaith. Ar yr achlysuron hyn, cefais gip personol ar y deallusrwydd a'r daioni wnaeth y bartneriaeth bron i drigain mlynedd o hyd rhyngddi hi a John yn un a gyfoethogodd bawb a ddaeth i gysylltiad â hi.

Peter Wakelin, Gorffennaf 2004

Acknowledgements

I am grateful for help during the preparations for this publication and the associated exhibition to Michael Tooby, Oliver Fairclough, Ann Sumner, Tim Egan, Louisa Briggs, Christine Mackay, Rachel Turnbull, Kevin Thomas, Arwel Hughes, Mari Gordon and David Jenkins of the National Museums & Galleries of Wales, and William Gibbs, John and Elizabeth Gibbs, Benjamin Gibbs, Abigail Gibbs, Joseph Gibbs, Alun Burge, Charles Burton, Clive Hicks-Jenkins and Rex Harley. I owe a debt to others whose work I have drawn on, especially James Gibbs for his account of his mother's life, John and William Gibbs for the information they have gathered on their parents' art collecting, and Roger Wollen, who has written the definitive account of the Methodist Church Collection of Modern Christian Art.

I would like to dedicate this book to the memory of Sheila Gibbs, who died while it was in preparation. Although I never knew John Gibbs, I had the pleasure of talking to Sheila several times. On these occasions I gained some insight personally into the intelligence and goodness that made the partnership that she and John shared for nearly sixty years so enriching for all who touched it.

Peter Wakelin, July 2004

Cynnwys

Contents

John a Sheila Gibbs, yn y 1980au cynnar
John and Sheila Gibbs in the early 1980s

Cyflwyniad

Nid yw gweithgareddau casglwyr celf yn cael eu gweld mewn goleuni cadarnhaol yn aml iawn. Mae dathlu eu gwaith wedi bod yn anffasiynol i bob pwrpas: ystyrir eu bod yn hunanol, wedi'u sbarduno gan hoffterau personol ac wedi'u gwahanu oddi wrth y broses greadigol. Roedd dethol a phrynu wrth galon bywyd John Gibbs a'i wraig, Sheila am dros hanner canrif; ond roedd eu dull unigryw o brynu a rhoi, perchen a rhannu, yn herio'r syniad o gasgliad fel rydyn ni'n gyfarwydd ag ef. 'Cyfranogwyr' mewn celf oedden nhw'n hytrach na 'chasglwyr', a'u gweithgareddau'n mynd i sawl cyfeiriad ffrwythlon.

Man cychwyn yn unig oedd y tŷ Modernaidd trawiadol a lenwodd John a Sheila â gweithiau celf Fodern pwysig ar gyfer diddordebau ehangach o lawer. Bu'r pâr wrthi'n prynu gweithiau celf i sefydliadau addysgol, amgueddfeydd ac eglwysi, yn ystyried sut gallai plant dyfu i fyny gyda chelf o'u cwmpas, yn hyrwyddo celf Gymreig, ac aethant ati hefyd i sefydlu casgliad cyhoeddus oedd yn ymchwilio i rôl celf Fodern mewn Cristnogaeth. Nid casgliad oedd ganddynt mewn golwg o gwbl mewn gwirionedd, ond y potensial cyffredinol i gyfarwyddo llygaid â grym celf.

Bu John Morel Gibbs (1912-1996) a'i wraig Sheila Newton (1912-2004) yn dilyn eu diddordeb mewn celf rhwng y cyfnod ar ôl iddynt symud i'w cartref parhaol cyntaf ym Mhenarth ym 1945, a marwolaeth John ym 1996. Roedd gwerth a phwysigrwydd eu gweithiau'n amrywio o lithograffau wedi'u masgynhyrchu ar gyfer ysgolion i weithiau pwysig gan artistiaid blaenllaw. Mae'n anodd dweud faint o weithiau brynodd y pâr i gyd. Cyfrwyd 72 o eitemau pan ddaeth y mwyafrif o luniau'r teulu adref i'w dangos fel rhan o ddigwyddiad 'lluniau mewn cartref' ar gyfer Cymdeithas Celfyddyd Gyfoes Cymru yn y 1990au. Cafodd darnau eraill eu rhoi i sefydliadau cyhoeddus, a chafodd rhyw dri dwsin o weithiau ychwanegol eu prynu i'r Eglwys Fethodistaidd trwy'r casgliad roedden nhw'n ei ariannu. Roedd yr holl weithgarwch yma ar raddfa lai o lawer na gweithgarwch Peggy Guggenheim (oedd yn prynu gwaith newydd bob dydd ar un adeg yn ystod y 1940au) neu Charles Saatchi; ond yng nghyd-destun de Cymru ganol a diwedd yr ugeinfed ganrif, roedd yn hynod. Wrth ystyried eu rolau preifat a chyhoeddus gyda'i gilydd, mae gweithgareddau John a Sheila Gibbs wrth brynu celf yn cymharu â rhai o'r

Introduction

The activities of private art collectors are not always seen in a positive light. The celebration of their work has, by and large, been out of fashion: they may be thought selfish, driven by personal preferences and separated from the creative process. Selecting and purchasing art was an ever-present strand in the life of John Gibbs and his wife Sheila for more than fifty years, but their personal style of both buying and giving, owning and sharing, challenges the idea of the collection as we know it. They were 'partakers' in art rather than 'collectors', whose activities ran in many fruitful directions.

The striking Modernist home and the important works of Modern art John and Sheila Gibbs bought for it were merely the starting point for much wider interests. They purchased works for educational institutions, museums and churches; they considered how children could grow up with art around them, they promoted the art of Wales and they established a public collection that explored the role of Modern art in Christianity. The outcome they sought was not a collection at all, but the potential to accustom eyes to the power of art.

John Morel Gibbs (1912-1996) and Sheila Newton (1912-2004) pursued their interests in art primarily between their move into their first permanent home, in Penarth in 1945, and John's death, in 1996. Their works ranged in value and importance from mass-produced lithographs for schools to major works by the foremost artists of the day. It is hard to say how many they purchased altogether. When most of the family pictures were brought home to be shown as part of a 'pictures in a home' event for the Contemporary Art Society for Wales in the 1990s there were seventy-two items. Further works were given to public institutions, and some three dozen were purchased through or donated to the special art collection they funded for the Methodist Church. The scale of this combined activity was far from that of a Charles Saatchi or Peggy Guggenheim (who at one time in the 1940s bought a new work every day); but in the context of south Wales in the mid- to late

casgliadau mwyaf diddorol o beintiadau Prydeinig Modern, ac roedd eu diddordeb arbennig mewn celf Gymreig a chelf Gristnogol fodern yn arloesol ac yn ddylanwadol.

Roedd John yn hanu o deulu blaenllaw o berchnogion llongau o Gaerdydd, y Morels, ond ni chydymffurfiodd â disgwyliadau'r gymdeithas leol mewn llawer o ffyrdd. Dilynodd yrfa fel seicolegydd ac addysgwr, bu'n wrthwynebwr cydwybodol yn ystod yr Ail Ryfel Byd, ac arhosodd yn daer i Fethodistiaeth. Yr unigolyddiaeth deallusol a'r ddelfrydiaeth gymdeithasol hyn arweiniodd John a Sheila at eu prif ddiddordeb ym myd celfyddyd, sef Moderniaeth Brydeinig. Ymhlith y pethau cyntaf a brynodd y pâr yn y 1940au oedd peintiadau hynod gan Paul Nash, Christopher Wood a John Piper. Yng ngwaith yr holl artistiaid hyn roedd yr ymwybyddiaeth ramantaidd a'r ysbrydolrwydd anuniongyrchol oedd yn nodweddiadol o artistiaid Prydeinig mwyaf blaenllaw'r cyfnod rhwng y ddau Ryfel Byd yn addasu darganfyddiadau Ysgol Paris o ran ffurf a lliw. Wrth ddewis y lluniau hyn, roedd John a Sheila yn eu cysylltu eu hunain ag *avant garde* y cyfnod, gan ffafrio delweddaeth llawn mynegiant a dyfnder seicolegol, ynghyd â nodweddion haniaeth neu uniongyrchedd naïf. Roedd gweithiau pwysig i ddilyn gan artistiaid cydnaws gan gynnwys David Jones, William Scott a Lucian Freud. Roedd hyn ymhell o fod yn gasgliad cynhwysfawr o gelf Brydeinig Fodern, ond roeddent yn canolbwyntio ar y maes hwn ar adeg pan oedd llawer o'r casglwyr blaengar eraill yn edrych tua Pharis; a phan oedd chwaeth Prydeinwyr yn dal i fod yn gul o draddodiadol ar y cyfan (roedd print o'r maes hela llawer yn fwy tebygol o fod yn addurn mewn parlwr dosbarth canol na pheintiad cyfoes). Yng Nghymru yn y blynyddoedd wedi'r Rhyfel roedd cryn elyniaeth at gelf Fodernaidd, ac arweiniodd hynny at ffurfio Grŵp De Cymru ym 1948 a Grŵp 56 wyth mlynedd wedyn[1].

Ymhlith casglwyr celf Brydeinig Fodern mawr y cyfnod roedd Kenneth Clark, H.S. 'Jim' Ede, Roland Penrose a Peter Watson. Fodd bynnag, yng Nghymru doedd yna ddim casgliadau ar yr un raddfa, ac ychydig iawn oedd mor flaengar o ran eu syniadau. Er bod masnach wedi creu cyfoeth sylweddol yng Nghaerdydd tua diwedd y bedwaredd ganrif ar bymtheg a dechrau'r ugeinfed ganrif, doedd yna fawr o draddodiad o fuddsoddi yn y celfyddydau gweledol cyfoes fel hyn. Heblaw am eithriadau amlwg fel Ardalydd Bute yn comisiynu yng Nghastell Caerdydd o'r 1870au ymlaen, casgliad Gwendoline a Margaret Davies o gelf Ffrengig a chreu

twentieth century it was remarkable. When their private and public roles are considered together, the activities of John and Sheila Gibbs in acquiring art compare with some of the most interesting collections of Modern British painting, and their special interests in Welsh art and Modern Christian art were early and influential.

John Gibbs came from a leading family of Cardiff ship-owners, the Morels, but he departed from the expectations of local society in many ways. He took up a career as a psychologist and educationalist, he was a conscientious objector during the Second World War, and he remained committed to Methodism. The intellectual individualism and social idealism represented by these positions led John and Sheila Gibbs towards their guiding artistic interest: British Modernism. Among their first purchases in the 1940s were outstanding paintings by Paul Nash, Christopher Wood and John Piper: all artists in whose work the discoveries in form and colour of the School of Paris were modulated by a Romantic sensibility and an oblique spirituality typical of the leading British artists of the time. In choosing these pictures, the Gibbs allied themselves with the current *avant garde*, favouring expressive imagery and psychological depth and qualities of abstraction or naïve directness. Important works were to follow by sympathetic artists, including David Jones, William Scott and Lucian Freud. This was far from a comprehensive collection of Modern British art, but its concentration on this field was at a time when many collectors interested in Modern art looked instead to Paris; and when predominant British taste was still narrowly traditional. In Wales in the post-War years there was considerable hostility to Modernist art, reflected in the establishment of organizations such as the South Wales Group and the 56 Group to raise its profile[1].

Among the most important collectors who did take a special interest in Modern British art at the same time were Kenneth Clark, H.S. 'Jim' Ede, Roland Penrose and Peter Watson. However, in Wales there were no collections of the same magnitude as these, and few as forward-thinking. Although trade had generated considerable wealth in Cardiff during the late nineteenth and early twentieth centuries, there had

Paul Nash (1889-1946),
Cân Ffarwel, tua 1927-8, olew ar gynfas, dwyochrog, mewn ffrâm dro, 42.5x52.5cm
Paul Nash (1889-1946),
Swan Song, c.1927-8, oil on canvas, double sided, in swivel frame, 42.5x52.5cm

Cymdeithas Celfyddyd Gyfoes Cymru ym 1937, prin iawn fu'r nawdd i gelf yng Nghymru ac roedd ymhell o fod yn her. Roedd gweithgareddau cyhoeddus a phreifat John a Sheila o'r 1940au ymlaen ymhlith yr enghreifftiau cynharaf a mwyaf diddorol o gasglu Celf Fodern yng Nghymru. Degawd yn ddiweddarach, dechreuodd Derek Williams ddwyn ynghyd ei gasgliad o ddarluniau pheintiadau Neo-Ramantaidd, sydd bellach yn yr Amgueddfa ac Oriel Genedlaethol. Dechreuodd y pensaer Syr Alex Gordon gronni ei gasgliad yntau o beintiadau cyfoes a roddodd i

been little tradition of investing in the contemporary visual arts. Notwithstanding conspicuous exceptions such as the collection of French art made by Gwendoline and Margaret Davies and the creation of the Contemporary Art Society for Wales in 1937, patronage of art in Wales had been rare and unchallenging. John and Sheila's public and private activities from the 1940s onwards constituted one of the earliest examples of Modern art collecting in Wales. In comparison, Derek Williams began to

Oriel Gelf Glynn Vivian yn Abertawe o'r 1960au ymlaen.

Roedd yr holl gasgliadau hyn, ynghyd â llond dwrn o rai eraill fel casgliadau'r Barnwr Bruce Griffiths a Phyllis Bowen, yn crisialu chwaeth Cymru yn y 1950au a'r '60au, ac yn ddylanwad neilltuol a pharhaol. Roedd y rhain oll yn canolbwyntio ar rai artistiaid cyffredin fel John Piper, Ceri Richards, Graham Sutherland a David Jones heb ymestyn eu diddordebau y tu hwnt i Foderniaeth canol y ganrif i fudiadau cyfoes y blynyddoedd wedyn fel Mynegiant Haniaethol, 'Op Art' a Chelf Gysyniadol, er enghraifft.

Cafodd diddordeb John a Sheila mewn Moderniaeth ddylanwad mawr ar eu gwaith cyson i hyrwyddo celf Gristnogol. Roedd eu gorchestion yn y maes hwn yn eithriadol. Am fod yr eglwysi'n cael eu hailadeiladu ar ôl y rhyfel, roedd lle i lawer o gyfraniadau Modernaidd, gan ddefnyddio mynegiant a haniaeth i gysylltu'r gwyliwr yn ddyfnach. Enghreifftiau o hyn oedd gwaith gwydr Piper, peintiadau a thapestrïau Sutherland, a cherfluniau Epstein a Moore. Ond comisiynau unigol oedd y rhain gan mwyaf. Dim ond ambell i fenter arloesol ym Mhrydain, ar wahân i ymdrechion John a Sheila, sy'n amlwg yn cynrychioli ffordd gydlynus o feddwl am rôl celf Fodern mewn Cristnogaeth. Gallwn feddwl yn arbennig am y project i adeiladu Eglwys Gadeiriol newydd Coventry yn y 1950au a chomisiynau Walter Hussey yn Eglwys Sant Matthew yn Northampton ac yn ddiweddarach yn Eglwys Gadeiriol Chichester[2]. Prynodd John a Sheila nifer o weithiau ar themâu crefyddol ar gyfer eu cartref, fel y darnau gan Stanley Spencer a Georges Rouault, a rhoesant weithiau celf Cristnogol i golegau ac eglwysi. Ond wrth sefydlu'r arddangosfa deithiol barhaol *Yr Eglwys a'r Artist* yn y 1960au (Casgliad yr Eglwys Fethodistaidd o Gelf Gristnogol Fodern yn ddiweddarach), gwnaethant rywbeth oedd bron yn unigryw. Daeth casgliad y Methodistiaid yn ffynhonnell gweithiau ar themâu crefyddol oedd ar gael i'w benthyca i eglwysi, arddangosfeydd a cholegau fel ysbrydoliaeth a chymorth i fyfyrio. Roedd peintiadau hynod gan Sutherland, Eric Gill a Patrick Heron ymhlith y rhai a brynodd John ei hunan ar gyfer y casgliad.

Yr elfen bwysig olaf yn eu diddordebau celfyddydol oedd eu cefnogaeth dros gelf Gymreig gyfoes o'r 1950au cynnar ymlaen. Yn y maes hwn roeddent ymhlith y cynharaf i ddangos hyder wrth ystyried celf Gymreig fel maes o ddiddordeb gwirioneddol a chanddi hunaniaeth

assemble his collection of Neo-Romantic drawings and paintings, now housed in the National Museum & Gallery, a decade later. The architect Sir Alex Gordon's fine, small collection of contemporary paintings, which he gave to the Glynn Vivian Art Gallery in Swansea, was made from the 1960s onwards.

All these collections, together with a handful of others such as those of Judge Bruce Griffiths and Phyllis Bowen, encapsulated advanced taste in Wales and a distinctive and continuing influence. All were focused upon some common interests, typified by the work of artists such as John Piper, Ceri Richards, Graham Sutherland and David Jones, and they seldom extended beyond the Modernism of the mid-century to the contemporary movements of the years that followed such as Abstract Expressionism, Op Art or Conceptual Art.

John and Sheila's interest in Modernism strongly informed the consistent work they did to promote Christian art, and in this area their achievement was exceptional. Church re-building after the War allowed room for many Modernist contributions, using expression and abstraction to engage the viewer, for example in glass by Piper, paintings and tapestries by Sutherland and sculptures by Epstein and Moore. However, these were usually individual commissions. Just a few initiatives in Britain other than John and Sheila's stand out as representing coherent thinking about the role of Modern art in Christianity: notably the project for the new Coventry Cathedral in the 1950s and the commissioning carried out by Walter Hussey at St Matthew's Church in Northampton and Chichester Cathedral[2]. The Gibbs purchased a number of works for their home on religious subjects and gave Christian works of art to colleges and churches; but in establishing the permanent touring exhibition *The Church and the Artist* in the early 1960s (later to become the Methodist Church Collection of Modern Christian Art), they did something virtually unique. The Methodist collection became a source of works on religious themes available for loan to churches, exhibitions and colleges as an inspiration and an aid to contemplation. Outstanding paintings by Graham Sutherland, Eric Gill and Patrick Heron were among those that John purchased personally for the collection.

ystyrlon. Roedd artistiaid oedd wedi cael eu hysbrydoliaeth gan egwyddorion Moderniaeth yn hytrach nag arddulliau mwy academaidd neu draddodiadol yn eu denu nhw. Roedd eu diddordebau'n cwmpasu prynu gweithiau ar themâu Cymreig, o ble bynnag y deuai'r artist, yn ogystal â gweithiau gan artistiaid oedd yn enedigol o Gymru neu'n byw yno. Fodd bynnag, daethant yn rhai o gefnogwyr selocaf artistiaid cyfoes Cymru wrth brynu gweithiau gan Ceri Richards, George Chapman, Michael Edmonds, Eric Malthouse, ac yn ddiweddarach Shani Rhys James, Ernest Zobole a Jonah Jones ymhlith eraill. Canlyniad hyn oedd casgliad pwysig a anogodd eraill i ymddiddori mewn celf Gymreig, gan gynnwys eu plant eu hunain ac eraill roeddent yn rhannu eu gweithiau â nhw'n breifat ac yn gyhoeddus. Roedd John hefyd yn cefnogi celf Gymreig fel prynwr i Gymdeithas Celfyddyd Gyfoes Cymru ac fel aelod o Bwyllgor Celf Amgueddfa Genedlaethol Cymru.

Ym mhob elfen o'u gweithgareddau casglu, roedd hi'n amlwg bod John a Sheila'n defnyddio'u gwybodaeth a'u dirnadaeth esthetig i ddewis gweithiau o ansawdd hirhoedlog. Roedden nhw'n gwrthod pob barn gul am harddwch celf, hyd yn oed wrth ddewis gweithiau ar gyfer eu cartref, ac yn ystyried gweithiau ag iddynt werthoedd dyfnach, rhai ohonynt yn gythryblus ac yn aflonyddol. Er eu bod yn prynu gweithiau cyfoes gan mwyaf (prynwyd llawer o'r gweithiau yn y flwyddyn pan gawsant eu creu) nid oes yr un ohonynt wedi profi'n fyrhoedlog, er bod enw da ambell i artist wedi pylu gydag amser.

Efallai mai'r hyn oedd fwyaf nodedig am weithgareddau John a Sheila Gibbs oedd eu hymrwymiad i gasglu fel offeryn i blethu celf trwy wead bywyd bob dydd. Roedd eu ffydd Fethodistaidd a'u diddordeb mewn addysg a seicoleg yn ddylanwad mawr yn hyn o beth. Eu hedmygedd at rym celfyddyd oedd wrth wraidd popeth. Dywedodd John,

> *Cefais fy magu'n Fethodist… Piwritaniaid ydyn ni…ond rydyn ni'n credu mai Crist yw Arglwydd pob bywyd da. Gall celfyddyd weledol ategu gwerthfawrogiad dyn o Grist yn hytrach na'i leihau.*[3]

The last important strand in their artistic interests was their support from the early 1950s onwards of contemporary Welsh art. They were among the earliest to show confidence that Welsh art could be regarded as a serious area of interest. They were drawn to artists who were inspired by the same principles of Modernism rather than more academic or traditional idioms. Their interests encompassed the purchase of works that engaged with Welsh subjects, wherever the artist came from, as well as works by artists who were born in or lived in Wales. However, they became among the most serious supporters of the contemporary artists of Wales, for example purchasing works by George Chapman, Michael Edmonds, Eric Malthouse, and later Shani Rhys James, Ernest Zobole and Jonah Jones. The result was a significant collection, which encouraged others, including their own children and those with whom they shared their works privately and publicly, to pursue the art of Wales. John also supported Welsh art as a purchaser for the Contemporary Art Society for Wales and as a member of the Art Committee of the National Museum of Wales.

In all the strands of their collecting, it was notable that John and Sheila used their knowledge and aesthetic insight to choose works of lasting quality. They rejected narrow judgements of the beauty of art, even when choosing paintings for their home, and considered works with deeper values, some of them challenging or unsettling. Although they largely purchased contemporary works (many in the year they were created), time has reduced the reputations of few of the artists they admired.

Perhaps what was most distinctive about John and Sheila Gibbs's activities was their commitment to collecting as a tool with which to weave art through the fabric of daily life. This was profoundly influenced by their faith and their interests in education and psychology. Underlying much of what they did was an admiration for the power of art. John said,

> *I was brought up a Methodist … we're Puritans… Nevertheless we believe Christ is Lord of all good life. Visual art can add to one's appreciation of Christ rather than detract from it.*[3]

Un o egwyddorion hanfodol ei safbwynt am werth celf oedd bod angen ei chymryd i mewn yn hytrach nag edrych arno'n frysiog mewn oriel (lle mae pobl yn dueddol o dreulio llai na dau eiliad yn edrych ar bob darn o waith celf). Fel y mae'r llygad yn cymryd amser i addasu i le tywyll, mae angen amser ar y meddwl i ymchwilio i oblygiadau gwaith celf. Y gred hon oedd athroniaeth John, ac fe'i mynegodd drwy osod gweithiau yn ei gartref ei hun a thrwy roi lluniau fel anrhegion Bedydd a fyddai gyda'r plant gydol eu hoes. Roedd ei athroniaeth ar ei hamlycaf yn ei waith wrth roi gweithiau celf ar themâu Cristnogol mewn lleoedd lle gellid cymryd eu pwerau myfyriol i mewn: mewn eglwysi, ysgolion a cholegau. Ychydig sydd wedi bod mor barod i roi neu fenthyca gweithiau celf y tu hwnt i orielau er mwyn i eraill gael ymgyfarwyddo â chelf.[4]

One of the principles critical to this view of art's value was that it should be absorbed, not merely briefly viewed in the gallery setting (where time spent viewing each work is often less than two seconds). Just as the eye takes time to become accustomed to a dark place, the mind needs time to explore the implications of a work of art. For John, recognition of this point became an active philosophy expressed in his placing of work in his own home and his giving of pictures as Christening presents that would be with children throughout their lives. It was at its clearest in his work to put art on Christian themes where its meditative power could be absorbed: in churches, schools and colleges. Few have matched this willingness to give or lend works outside a gallery setting in order that others can accustom their eyes to art.[4]

John a Sheila Gibbs

Cafodd John a Sheila eu magu yn erbyn cefndir o ffyniant eithriadol a grëwyd gan gynhyrchiant diwydiannol y de. Ganed y ddau ym 1912, y flwyddyn y cyrhaeddodd diwydiant glo'r rhanbarth ei anterth. Roedd de Cymru'n allforio mwy na'r un maes glo arall yn y byd, a daeth Caerdydd, fel ei brif borthladd a chanolfan fasnachol, yn ganolbwynt i'r cyfoeth a ddaeth yn sgil cynhyrchu glo a'r fasnach gysylltiedig. Yn y blynyddoedd cyn y Rhyfel Byd Cyntaf, cafodd mwy o dunelli o nwyddau eu cludo o Gaerdydd nag o unrhyw borthladd arall ym Mhrydain, gan adael hyd yn oed Llundain a Lerpwl yn ei sgil. Roedd llongau cargo'n cludo glo a haearn o gwmpas y byd ac yn dod â phopeth o byst pwll i bort yn ôl i Gymru. Roedd yna ryw 120 o gwmnïau llongau yng Nghaerdydd ym 1920, a hynny'n ei gwneud yn un o'r canolfannau mwyaf o ran perchnogaeth ar longau stêm drwy'r byd i gyd.

Roedd rhieni John ill dau yn hanu o deuluoedd oedd wedi dod i Gaerdydd yn sgil y fasnach longau yn y 1860au: teulu'r Gibbs o Portland yn Dorset a'r teulu Morel o Jersey. Cyd-blethodd hanes y ddau deulu o'r dyddiad hwn ymlaen. Ei dad-cu ar ochr ei fam oedd Thomas (Syr Thomas) Morel (1847-1903), a symudodd i Gaerdydd gyda'i frawd Philip. Yno buont yn creu cwmni llongau ar y cyd, a dyfodd i fod yn gwmni mwyaf y rhanbarth. Priododd y ddau frawd aelodau teulu'r Gibbs a gwahoddwyd eu brawd-yng-nghyfraith newydd, John Angel Gibbs (1849-1884), i fod yn bartner yng nghwmni Morel. Erbyn 1888 roedd ganddynt dair llong cargo ar hugain a bron nad oedd ganddynt fonopoli ar gludo mwyn haearn Sbaen o Bilbao wrth gludo glo i borthladdoedd yn Ffrainc a Sbaen. Erbyn dechrau'r Rhyfel Byd Cyntaf roedd y cwmni'n canolbwyntio ar y fasnach broffidiol mewn glo i Dde America, gan ddychwelyd oddi yno gyda grawn. Yn anarferol ymhlith cwmnïau Caerdydd, roedd y cwmni'n buddsoddi mewn adeiladu ac atgyweirio llongau hyd yn oed. Syr Thomas Morel oedd Maer Caerdydd ym 1899 a chwaraeodd ran flaenllaw wrth hyrwyddo balchder dinesig a grym masnachol y ddinas.

Mam John oedd Gladys Morel (1880-1952), merch Thomas Morel a Susanna Gibbs. Pan fu farw Syr Thomas ym 1903 rhannwyd ei ystâd yn gyfartal rhwng ei bum plentyn yn ôl y traddodiad Ffrengig o rannu etifeddiaeth oedd yn parhau yn Jersey. Roedd ei ystâd werth rhyw £280,000 ar ôl tollau marwolaeth – ac mae'n debyg bod hynny'n tanbrisio gwir

John and Sheila Gibbs

John and Sheila grew up against the background of the extraordinary prosperity created by the growth of industry in south Wales. They were both born in 1912, the year in which the region's coal industry reached its peak. South Wales was exporting more than any other coalfield in the world, and Cardiff, as its principal port and commercial centre, became the focal point for the wealth that coal production and associated trade brought with them. In the years leading up to the First World War, Cardiff shipped a greater tonnage of goods than any port in Britain, leaving even London and Liverpool in its wake. Tramp steamers carried coal and iron around the world and brought back everything from pit props to port wine. Some 120 shipping companies were based in Cardiff in 1920, making it one of the greatest steamship-owning centres anywhere.

Both of John's parents were from families who had come to Cardiff in pursuit of the shipping trade in the 1860s: the Gibbs family from Portland in Dorset and the Morel family from Jersey. The two families became intertwined from this date onwards. His maternal grandfather was Thomas (later Sir Thomas) Morel (1847-1903), who moved with his brother Philip to Cardiff, where they built up their joint shipping firm to become the largest in the region. Both brothers married into the Gibbs family, and their new brother-in-law, John Angel Gibbs (1849-1884), was invited to become a partner in the Morel firm. By 1888 they owned twenty-three tramp steamers and had a near monopoly of the Spanish iron ore trade from Bilbao. They also carried coal to French and Spanish ports. By the beginning of the First World War the company was concentrating on the profitable trade in coal to South America, returning with grain. Unusually among Cardiff companies, they even invested in ship building and repairing. Sir Thomas Morel was Mayor of Cardiff in 1899 and played a leading role in promoting the city's municipal pride and trading power.

John's mother was Gladys Morel (1880-1952), the daughter of Thomas Morel and Susanna Gibbs. When Sir Thomas died his estate was divided equally between his five children, following the French tradition of partible inheritance that continued in Jersey. The estate was valued at some £280,000 after death duties – probably rather

werth y cwmni. Yn dair ar hugain oed, roedd Gladys yn gyfoethog yn ei hawl ei hun. Fel menyw ifanc Edwardaidd, heb sôn am un o statws cymdeithasol uchel, roedd Gladys yn anghonfensiynol yn ei diddordebau a'i hymddygiad. Yn ôl John, roedd ei fam 'yn ei hystyried ei hun yn dipyn o domboi a hithau'n tyfu i fyny gyda phedwar brawd'[5]. Goddefodd gryn dipyn o wrthwynebiad yn y teulu pan benderfynodd briodi John Angel Gibbs II (1880-1917), mab ei diweddar ewythr. Ymddengys mai'r prif wrthwynebiad oedd bod marwolaeth ei dad yn drideg pump oed wedi gadael ochr Gibbs y teulu yn gymharol dlawd. Clerc llongau oedd ef ei hun - priod rhy dlawd i etifeddes. Ond yn ystod blynyddoedd llewyrchus Caerdydd, gallai lwc rhywun newid bron dros nos. Buddsoddodd yn ei gwmni llongau ei hun gyda benthyciad banc ym 1906, ac yntau'n chwech ar hugain oed. Cwmni bach oedd hwn o'i gymharu â Morels, ond roedd yn gweithredu yn yr un fasnach broffidiol o allforio glo a mewnforio grawn o Dde America. Tynnodd y gwynt o hwyliau brodyr Gladys o dipyn i beth, a phriododd y ddau ym mis Ebrill 1909.

Ganed John ym 1912 ac ef oedd unig blentyn y briodas. Pan gychwynnodd y Rhyfel Byd Cyntaf daeth ei dad yn Uwchgapten yn y Gatrawd Gymreig. Cafodd ei ladd ar faes y gad yn Menin Road, Fflandrys, ar 20 Medi 1917. I goffáu ei gŵr, ariannodd Gladys y gwaith o droi'r Penarth Hotel yn ysgol elusennol i blant morwyr: Cartref Gibbs.

Treuliodd John ei blentyndod ym Marine Parade, Penarth, lle roedd gweision ei fam yn cynnwys cogydd, morwyn parlwr, morwyn a morwyn ganol, gyrrwr a dau arddwr. Ychydig o gelf oedd o'i gwmpas wrth iddo dyfu ac eithrio casgliad rhagorol ei fam o lestri Abertawe a Nantgarw. Lluniwyd rhestr o gynnwys y tŷ pan oedd John yn ddwy ar bymtheg oed ac ynddi nodwyd cyfoeth o ddodrefn hynafol, rygiau a llestri arian, ond dim ond llond dwrn o luniau poléit. Yr unig weithiau o bwys oedd *Môr yn yr Haf* gan Julius Olsson, yr arlunydd morluniau llawn awyrgylch, a *Traeth Tywodlyd* gan B.W. Leader, yr arlunydd tirluniau poblogaidd o oes Fictoria. Yn ystafell wely'r Meistr Gibbs nid oedd ond 'pedwar print lliw wedi'u fframio o'r enw "*Syniadau*"'.

Daeth John i gysylltiad â chelf hefyd trwy chwaeth gonfensiynol ei berthnasau. Roedd yna olygfa o glogwyni gan Lamorna Birch yn nhŷ ei ewythr William Gibbs, a chasglai ei ewythr John Morel yr hyn a ddisgrifiwyd fel 'mewnluniau cyfandirol'. Efallai i'w ymweliadau â Thŷ Turner fel plentyn ddylanwadu'n fwy ar ei syniadau am gelf. Oriel

underestimating the true worth of the firm. Gladys was wealthy in her own right at the age of just twenty-three. As a young Edwardian woman, let alone one of social standing, Gladys was unconventional in her interests and behaviour. According to John, his mother 'regarded herself as something of a tomboy, growing up as she did with four brothers.'[5] She brooked considerable opposition in the family when she determined to marry John Angel Gibbs II (1880-1917), the son of her late uncle. His father's death aged thirty-five had left the Gibbs side of the family relatively impoverished, and he was a shipping clerk – considered too impecunious a match for an heiress. However, Cardiff in its boom years was a place where individual fortunes changed almost overnight. He invested in his own shipping company with a bank loan in 1906, when he was aged twenty-six. This was a small firm compared with Morels, but engaged similarly in the profitable trade of coal out, grain back with South America. It finally deflated the opposition of Gladys' brothers, and the couple married in April 1909.

John was the only child of the marriage. With the outbreak of the First World War his father became a Major in the Welsh Regiment. He was killed in action at the Menin Road, Flanders, on 20 September 1917. As a memorial to her husband Gladys funded the conversion of the Penarth Hotel into a school for the children of sailors: the Gibbs Home.

John's childhood was spent at Marine Parade in Penarth, where his mother's household included a cook, parlourmaid, housemaid and between maid, a chauffeur and two gardeners. He grew up with little art around him apart from his mother's excellent collection of Swansea and Nantgarw china. An inventory of the house when he was aged seventeen listed a wealth of antique furniture, rugs and silverware, but just a handful of polite pictures. The only works of note were *Summer Sea* by Julius Olsson and *A Sandy Shore* by B.W. Leader. In Master Gibbs' bedroom were only 'four framed prints in colours "Ideas"'.

Among John's other early encounters with art were the conventional tastes of his relatives. There was a bright cliff scene by Lamorna Birch at his uncle William Gibbs's house, and his uncle John Morel collected what were described as 'continental interiors'. Perhaps a greater influence on his ideas about art were his childhood visits to Turner House, then a private gallery with a fine collection on display for

breifat oedd hi bryd hynny lle roedd casgliad cain yn cael ei arddangos er budd y cyhoedd. Casgliadau o'r bedwaredd ganrif ar bymtheg oedd yno'n bennaf. Ymhlith y lluniau a allai fod wedi symbylu diddordebau John roedd ysgythriadau gan Rembrandt, darlun gan Constable, *Rosamund Landeg* gan Rosetti, a lluniau dyfrlliw gan Sandby, Cox, Cotman a Turner – yr artist a roddodd ei enw i'r oriel. Ysgrifennodd John hanes Tŷ Turner ym 1990, gan dynnu ar ei brofiad ei hun o ymweld â'r oriel fel plentyn yn y 1920au:

> *Ychydig o ymwelwyr oedd. Byddai plant o gartrefi ym Mhenarth oedd ag uchelfrydiau diwylliannol yn cael mynd i ymweld gyda'u rhieni neu ar eu pennau eu hunain brynhawn Sul ar ôl yr Ysgol Sul. Roedd curo ar y drws a gofyn am ganiatâd Miss Herbert i fynd i fyny'r grisiau i'r oriel yn galw am gryn ddewrder. Ond wedi cyrraedd yno, roedd lluniau a llestri i edrych arnynt a, mor dawel â phosibl, llawr gloyw i lithro arno.*[6]

Cafodd John ei fagu yn yr Eglwys Fethodistaidd ym Mhenarth ac roedd bywyd cymdeithasol ac addysg yn troi o gwmpas yr eglwys yn ogystal ag addoli. Roedd teuluoedd Gibbs a Morel ill dau yn Fethodistiaid o hir draddodiad, ac wedi ymwneud â'r gwaith o adeiladu Trinity, un o eglwysi anghydffurfiol mwyaf a mwyaf trawiadol Cymru o safbwynt pensaernïol. Ymhlith y gweithiau celf yn yr eglwys a ariannwyd gan y teulu roedd copi o *Swper Olaf* Leonardo a ffenestri trawiadol gan H.J. Salisbury. Gydag amser, trodd y rhan fwyaf o ganghennau'r teulu at Anglicaniaeth, ond arhosodd Gladys yn ffyddlon i'r traddodiad Methodistaidd, a chafodd crefydd John yntau ei chryfhau'n ddiweddarach gan grwpiau trafod wythnosol y Gymdeithas Fethodistaidd ym Mhrifysgol Caergrawnt.

Yn Trinity y cyfarfu John â Sheila Newton. Roedd hi wedi'i geni yn Birmingham, ond roedd y teulu wedi symud i Gaerdydd yn ystod ei phlentyndod, lle roedd ei thad, Herbert Newton, yn Archwiliwr gyda Banc Lloyds. Daethant i Victoria Road ym Mhenarth pan oedd hi'n bump oed. Er pan oeddent yn ifanc iawn, roedd hi a John yn mynd i'r Ysgol Sul gyda'i gilydd ac i bartïon pen-blwydd ei gilydd. Yn ddiweddarach, sefydlodd y ddau'r 'Masks Society' gyda chyfeillion eraill i lwyfannu dramâu yn lleol a buont yn cymryd rhan mewn llu o weithgareddau cymdeithasol ac artistig trwy'r eglwys. (Cofnododd y pâr eu hatgofion am fwrlwm Trinity wrth ysgrifennu eu hanes ym 1994[7]).

public benefit. It was a largely nineteenth-century collection. Pictures that may have stimulated John's interests included Rembrandt etchings, Rosetti's *Fair Rosamund*, and watercolours by Sandby, Cox, Cotman and Turner, after whom the gallery was named. He wrote a history of Turner House in 1990, and drew upon his own experience as a child visiting the gallery in the 1920s:

> *The visitors were few in numbers. Children from homes in Penarth with aspirations to culture would be taken to visit it or would go on their own on Sunday afternoons after attending Sunday School. It required a certain courage to knock at the closed door and request permission of Miss Herbert to go up the stairs to the gallery. Once inside, there were the pictures and the porcelain to look at, and, as quietly as possible, the polished floor to slide on.*[6]

John was brought up within the Methodist Church in Penarth, which was a centre of social life and education as well as worship. The Gibbs and Morel families were both Methodist by long tradition, and had been deeply involved in the building of Trinity Methodist Church in Penarth, one of the largest and most architecturally impressive non-conformist churches in Wales. Works of art funded by the family there included a copy of Leonardo's *Last Supper* and impressive windows by H.J. Salisbury. Over time, most branches of the family converted to Anglicanism, but Gladys kept faith with the Methodist tradition and John's own religion was later reinforced by the weekly discussion groups of the Methodist Society at Cambridge University.

At Trinity, John met Sheila Newton. She had been born in Birmingham, but the family had moved when she was still a child to Cardiff, where her father, Herbert Newton, was an Inspector with Lloyds Bank. They arrived at Victoria Road in Penarth when she was aged five. She and John attended Sunday School together and went to one another's birthday parties from an early age. Later they founded the Masks Society with other friends to put on plays locally and participated in many social and artistic activities through the church. (They recalled the liveliness of Trinity in this era in a history that they wrote in 1994.[7])

While Sheila attended a Methodist boarding school in Kent, John was sent to the Leys School in Cambridge where he had what he described as 'an undistinguished

Tra bod Sheila mewn ysgol breswyl Fethodistaidd yn Chiselhurst, Caint, anfonwyd John i Ysgol Leys yng Nghaergrawnt, lle cafodd yr hyn a ddisgrifiodd fel 'gyrfa ddi-nod'. Er hynny, aeth ymlaen i Goleg Sant Ioan, Caergrawnt, i astudio'r Gyfraith, a phenderfynodd ddilyn gyrfa yn hytrach na hamddena fel bonheddwr cyfoethog. Astudiodd i fod yn fargyfreithiwr, a chafodd ei alw i'r Bar ym 1936. Treuliodd flwyddyn yn gweithio ym maes Cyfraith Trosedd mewn Siambrau, ond dywedodd yn ddiweddarach fod hyn yn rhywbeth 'na chefais flas arno'[8]. Dilynodd Sheila ei thad i Fanc Lloyds. Nid oedd yn cael boddhad o'r gwaith y gofynnwyd iddi ei wneud ond arhosodd yno am bum mlynedd.

Priododd John a Sheila ym 1937. Pan ofynnodd John iddi ble hoffai fyw, ateb dibetrus Sheila oedd 'Penarth'. Aethant ati i gomisiynu pensaer i godi tŷ newydd ar eu cyfer. Erbyn hyn roedd John wedi sylweddoli na fyddai gyrfa fel bargyfreithiwr yn ei fodloni a gwnaeth y penderfyniad radical i astudio am MA mewn Seicoleg yng Ngholeg y Brifysgol, Llundain. O ganlyniad, aeth i fyd oedd yn dal i fod braidd yn amharchus yng ngolwg rhai, ond oedd yn cysylltu'n rymus â diddordebau *avant garde* artistiaid a llenorion cyfoes. Ymgymhwysodd yn seicolegydd addysgol yn Ysbyty Guy's ym 1940. Roedd y pâr ifanc yn byw mewn fflat yn Dolphin Square ger afon Tafwys ar y pryd. Roedd modd cerdded i Oriel y Tate mewn deng munud ac roedd yr ardal yn gyfleus ar gyfer theatrau'r West End.

Dyma pryd brynodd Sheila a John eu darn cyntaf o waith celf ers priodi: sef, yn briodol iawn, grŵp o gynlluniau ar gyfer gwisgoedd theatr. Mae'r rhain yn rhoi argraff fywiog o ba mor ddynamig oedd byd theatr Prydain bryd hynny. Yn eu plith roedd cynlluniau ar gyfer John Gielgud yn *Hamlet* (cynhyrchiad olaf ei gwmni anffurfiol), a Peggy Ashcroft fel y Frenhines yn *Richard II*, o gynhyrchiad oedd yn cynnwys nid yn unig hi a Gielgud ond Alec Guiness, Denis Price a Glen Byam Shaw. Motley oedd wedi gwneud y cynlluniau ar gyfer y cynhyrchiad cyfan ym mhob achos. Partneriaeth o dair menyw oedd Motley a gafodd y clod am ddod â dawn a dilysrwydd i lwyfannau'r West End, ac yn ddiweddarach, i Broadway. Cymrodd Margaret Harris, Sophia Harris ac Elizabeth Montgomery eu cydenw o wisg fraith y ffŵl (*Motley Fool*). Gielgud oedd eu cwsmer cyntaf ym 1932 a buont yn gweithio gyda'i gilydd ym Mhrydain a'r Unol Daleithiau hyd 1976. Gwnaethant wisgoedd a ysbrydolwyd gan beintiadau enwog o'r cyfnodau roedd y

career'. Nevertheless, he proceeded to Cambridge to study Law and decided on a career rather than the life of a moneyed gentleman. He studied to be a barrister, was called to the Bar in 1936 and worked at Criminal Law for a year in Chambers; something which, he later said, he 'did not find congenial'[8]. Sheila followed her father into Lloyds Bank. The work she was asked to do was far from fulfilling but she continued for five years.

John and Sheila married in 1937. When he asked her where she would like to live, Sheila had no doubt about answering 'Penarth', and they began the process of commissioning an architect to build a new house. By this time, John had realised that a career as a barrister would not satisfy him and he made the decision to read for an MA in Psychology at University College, London, thereby entering a world many still considered somewhat disreputable but that communicated powerfully with the *avant garde* interests of contemporary artists and writers. He qualified as an educational psychologist at Guy's Hospital in 1940. The newly married couple lived in a flat in Dolphin Square, close to the Thames. They were a ten-minute walk from the Tate Gallery and well placed for West End theatres.

It was at this time that Sheila and John made their first purchase of art together: appropriately, a group of recent theatrical costume designs. These give a vivid impression of the dynamism of British theatre at that moment. Among them were designs for John Gielgud in *Hamlet* (the last production for his informal company), and Peggy Ashcroft as the Queen in *Richard II*, from a production which also included John Gielgud, Alec Guinness, Denis Price and Glen Byam Shaw. In each case the entire production was designed by Motley: a partnership of three women who were credited with bringing a new flair and authenticity to the stages of the West End and later Broadway. They created costumes inspired by historic paintings of the eras in which plays were set, yet giving the actors the freedom and characterisation they needed. Margaret Harris, Sophia Harris and Elizabeth Montgomery took their joint name from the clothing of the Motley Fool. Gielgud was their first client in 1932 and they worked together until 1976. A collection of 5,500 designs by Motley for 150 British and American productions is housed in the University of Illinois.[9] While in London, John and Sheila continued to produce modern drama themselves, working at Clubland in

Motley,
Richard II, Y Frenhines, Ashcroft,
dim dyddiad, pensil, gouache a dyfrlliw, gyda phaent metelaidd a samplau tecstilau ar bapur, 38x25.5cm

Motley,
Richard II, The Queen, Ashcroft,
undated, pencil, watercolour and gouache, with metallic paint and textile swatches on paper, 38x25.5cm

Motley,
Hamlet i John Gielgud, Hamlet, Lyceum, 1939, pensil, gouache a dyfrlliw, 37.9x24.6cm

Motley,
Hamlet for John Gielgud, Hamlet, Lyceum, 1939, pencil, gouache and watercolour on paper, 37.9x24.6cm

dramâu wedi'u gosod ynddynt. Ond roedden nhw'n rhoi'r rhyddid a'r gymeriadaeth roedd ar yr actorion eu hangen hefyd. Erbyn hyn mae casgliad o 5,500 o gynlluniau gan Motley ar gyfer 150 o gynyrchiadau Prydeinig ac Americanaidd ym Mhrifysgol Illinois.[9]

Parhaodd John a Sheila i gynhyrchu dramâu modern yn ystod eu cyfnod yn Llundain, gan weithio ar gynyrchiadau gan O'Neill, Auden ac Isherwood, ymhlith eraill yn

Walworth on productions by O'Neill, Auden and Isherwood among others. Clubland had been founded by the Methodist minister the Reverend James Butterworth in the 1920s as 'a house for friendship for boys and girls outside any church'. With its principles of democratic organization and of drawing in the disaffected, it was a pioneering and highly influential example of focusing the church on the needs of young people in deprived areas. John and Sheila arrived as it

Clubland yn Walworth. Gweinidog Methodistaidd o'r enw'r Parchedig James Butterworth sefydlodd Clubland yn y 1920au i fod yn 'dŷ ar gyfer cyfeillgarwch i fechgyn a merched y tu hwnt i unrhyw eglwys'. Roedd Clubland yn torri tir newydd gyda'i egwyddorion oedd yn cynnwys trefniadaeth ddemocrataidd a denu pobl oedd wedi'u dadrithio; ac roedd yn ddylanwadol dros ben wrth hoelio sylw'r eglwys ar anghenion pobl ifanc mewn ardaloedd difreintiedig. Cyrhaeddodd John a Sheila wrth iddo gyrraedd ei gyfnod mwyaf cyffrous: cafodd y clwb newydd gyda'i gyfleusterau helaeth ei gwblhau ym 1939 (er iddo gael ei fomio cwta dwy flynedd wedyn)[10]. Aeth John i weithio yno'n llawn-amser pan ddechreuodd y Rhyfel, yn edrych ar ôl Clwb y Bechgyn a chymrodd Sheila awenau Clwb y Merched. Cadarnhaodd Clubland gred y ddau mewn addysg anffurfiol trwy gymryd rhan. Dyma ble dechreuodd eu cwrs o rannu celf ag eraill: wrth iddynt fenthyg eu cynlluniau gwisgoedd gan Motley i'r clwb.

Gyda chefnogaeth gref Sheila, cofrestrodd John yn Wrthwynebwr Cydwybodol ar sail grefyddol a chafodd Ryddhad Diamod o Wasanaeth Milwrol ym 1940. Helpodd y ddau gyda'r gwaith i symud plant ysgol o Lundain, wedyn wrth i'r bomiau ddechrau disgyn ar draws y ddinas cymrodd John swydd gyda'r West End Hospital for Nervous Diseases. Roedd y Llu Awyr wedi atafael eu tŷ newydd ym Mhenarth, a phan symudodd ysbyty John i Swydd Hertford ym 1941, symudodd John a Sheila i fyw yn St Albans. Daeth John yn Uwch Seicolegydd i Wasanaeth Seiciatrig a Chynghori Plant Swydd Hertford. Ddiwedd 1944, daeth eu tŷ newydd, Sea Roads, yn wag o'r diwedd a symudodd y ddau nôl i Benarth i fagu eu pum mab, a aned rhwng 1940 ac 1949: John, James, William, Andrew a Simon.

Ym 1946 cymrodd John swydd fel Darlithydd Seicoleg yng Ngholeg Prifysgol Caerdydd ac arhosodd yn y swydd honno nes iddo ymddeol yn chwedeg pump oed. Ymhlith ei ddiddordebau arbennig roedd gwaith cymdeithasol, polisi addysg a therapi chwarae i blant. Ymgyrchodd i sefydlu cwrs galwedigaethol mewn Gwaith Cymdeithasol yng Nghaerdydd a chafodd y cwrs ei gyflwyno'n llwyddiannus ym 1958.[11] Yn ddiweddarach, bu'n Gadeirydd ar Gyngor Canolog Addysg a Hyfforddiant Gwaith Cymdeithasol Cymru ac yn Ysgrifennydd Addysgol ac yn Ymgynghorydd Seicolegol i Gyngor Cynghori Priodasol De Cymru. At hynny, cadwodd ei gysylltiadau busnes fel cyfarwyddwr siop adrannol Howells a chwmni Bute Docks. Roedd ei fam wedi rhoi ei

reached its most exciting period: the new club with its extensive facilities was completed in 1939 (though it was to be bombed just two years later)[10]. John took full-time work there at the outbreak of the War, looking after the Boys' Club while Sheila took over the Girls'. Clubland confirmed for both of them their belief in informal education through participation. It also set them on their course of sharing art with others: they loaned the club their new Motley costume designs.

John registered as a Conscientious Objector on religious grounds with Sheila's support and was granted Unconditional Exemption from Military Service in 1940. They helped in the evacuation of London schoolchildren, then as the bombs began falling across London John took a post with the West End Hospital for Nervous Diseases. Their newly completed house in Penarth had been requisitioned by the Royal Air Force, and when John's hospital was moved to Hertfordshire in 1941 they moved to a home in St Albans. John subsequently became Senior Psychologist for Hertfordshire's Psychiatric and Child Guidance Service. It was the end of 1944 before their new house, Sea Roads, was vacated and they could return to Penarth, where they would raise their five sons, all born between 1940 and 1949: John, James, William, Andrew and Simon.

In 1946 John took a post as Lecturer in Psychology at University College Cardiff, a job he continued until his retirement at sixty-five. Among his special interests were social work, education policy and play therapy for children. He campaigned for Cardiff to have a vocational course in Social Work, introduced successfully in 1958.[11] Later, he was chairman of the Central Council in Education and Training in Social Work for Wales, and Educational Secretary and Psychological Consultant for the South Wales Marriage Guidance Council. He also kept up business contacts as a director of Howell's department store and the Bute Docks company. His mother had passed him her one-fifth share in Morel Ltd and he was invited to join the board in 1949. However, he recorded that this appeared to be a mere formality, as he was never called to a Directors' meeting nor paid Directors' fees. There had been a rapid decline in freight rates since the 1920s, and after the War the

chyfran o bumed o Morels iddo, a chafodd wahoddiad i ymuno â'r bwrdd ym 1949. Fodd bynnag, nododd John mai rhywbeth ar bapur yn unig oedd hyn am na chafodd yr un gwahoddiad i gyfarfodydd y Cyfarwyddwyr ac ni chafodd ffioedd Cyfarwyddwr chwaith. Roedd prisiau cludo nwyddau wedi dirywio'n sydyn ers y 1920au, ac ar ôl y Rhyfel symudodd y cwmni i Lundain i redeg llongau cargo ar draws y byd. Cafodd ei ddirwyn i ben ym 1956.

Prysurodd gwaith John a Sheila yn yr Eglwys Fethodistaidd yn fawr wedi iddynt ddychwelyd i Benarth. Sefodd John arholiadau lleol i fod yn bregethwr ym 1945. Daeth yn Athro Ysgol Sul yn Trinity, a chynyddodd nifer y plant wythblyg. Aethant ati i ffurfio Grŵp Drama Trinity a gynhyrchodd tair drama bob blwyddyn am amser hir: roedd Sheila'n perfformio, yn ysgrifennu ac yn cyfarwyddo yn ogystal â gwneud gwisgoedd a gweithio y tu ôl i'r llenni. Daeth y grŵp yn adnabyddus wrth berfformio yn yr Albert Hall a lleoedd eraill, a chafodd pasiant crefyddol o eiddo John a Sheila, *Militant and Triumphant*, ei gynhyrchu ar draws y Cyfundeb Methodistaidd i gyd. [12] Cydweithiodd y ddau i ysgrifennu *Born in Time: a Nativity Play*, a gyhoeddwyd ym 1963 hefyd.

Dechreuodd John a Sheila wneud gwaith ym maes arweinyddiaeth yr eglwys. Daeth John yn Drysorydd ar Adran Addysg ac Ieuenctid y Methodistiaid ac yn Gadeirydd ar Fwrdd Rheoli Ysgolion y Methodistiaid. Ym 1958 cafodd ei benodi'n Is-Lywydd ar y Gynhadledd Fethodistaidd - y swydd leyg uchaf mewn Methodistiaeth. Arweiniodd Sheila'r ymddiriedolaeth a sefydlwyd ganddi hi a John ym 1958 i wella amodau byw gweinidogion y de. Rhoddodd gryn dipyn o'i harian a'i hegni wella tai gweinidogol oedd wedi dirywio. Hi oedd y fenyw gyntaf i gael ei hethol yn aelod o Bwyllgor Materion Cyffredinol yr Eglwys Fethodistaidd. Yn nhraddodiad Clubland, roedd crefydd John a Sheila yn agored ac yn ymarferol, fel y dywedodd y gweinidog Donald Knighton ar ôl marwolaeth John: 'Ni fu erioed yn Fethodist cul na chibddall. Roedd yn eang o ran amrywiaeth ei ddiddordebau, ei weledigaeth a'r bobl roedd yn gyfaill iddynt, roedd yn Fethodist o weledigaeth ac arferion eciwmenaidd'. [13]

Parhaodd John a Sheila â'r traddodiad teuluol o ddefnyddio'u lwc ariannol er budd eraill, a daeth hyn yn batrwm ar gyfer rhai o'r ffyrdd y buont yn datblygu eu gweithgareddau i gefnogi celf. Daeth John yn gadeirydd ar yr ysgol sefydlodd ei fam er cof am ei dad, oedd wedi cael ei

company moved its centre of operations to London to run tramp vessels worldwide. It was wound up in 1956.

The involvement of both John and Sheila in the Methodist Church was redoubled on their return to Penarth. John read for local preachers' exams in 1945. He became Sunday School Superintendent at Trinity, increasing attendance eight-fold. They created the Trinity Drama Group, for a long time producing three plays a year: Sheila performed, wrote and directed as well as making costumes and doing work behind the scenes. The group became well-known through appearances at the Albert Hall and elsewhere, and a religious pageant written by John and Sheila, *Militant and Triumphant*, was produced all over the Methodist Connexion[12]. They also wrote together *Born in Time: a Nativity Play*, which was published in 1963.

Both John and Sheila became involved in the leadership of the church. John became Treasurer of the Methodist Department of Education and Youth and Chairman of the Board of Management of Methodist Schools. In 1958 he was Vice-President of the Methodist Conference – the most senior lay position in Methodism. Sheila led the work of a trust she and John established in 1958 to improve living conditions in manses throughout the South Wales District, giving a substantial amount in funds and energy to upgrade houses that had become unfit. She was the first woman to be elected a member of the General Purposes Committee of the Methodist Church. In the tradition of Clubland, John and Sheila's religion was open and active, as the minister Donald Knighton described after John's death: 'He was never a narrow or blinkered Methodist. He was catholic in his range of interest, vision, and friendships, a Methodist of ecumenical vision and practice.'[13]

John and Sheila continued the tradition within the family of using their own financial good fortune to benefit others, and this became a model for some of the ways in which they developed their activities in support of art. John was chairman of the school that his mother had established in his father's memory, by now renamed Headlands Special School. In response to significant capital being released from Morels after the War, John and Sheila set up the Gibbs Trust

hailenwi'n Headlands Special School erbyn hynny. Pan ryddhaodd Morels gyfalaf sylweddol ar ôl y Rhyfel, sefydlodd John a Sheila Ymddiriedolaeth Gibbs i helpu gydag achosion oedd yn gysylltiedig â'r Eglwys Fethodistaidd, cymorth tramor a'r celfyddydau ym 1946. Rhoesant dir y tu ôl i Sea Roads i adeiladu Tŷ Rhyngwladol y Methodistiaid ac yn ddiweddarach Cartref Methodistaidd Llys Morel i'r Henoed. Roedd eu gwaith wrth gomisiynu gweithiau celf ar gyfer adeiladu cyhoeddus a sefydlu casgliad celf y Methodistiaid yn rhan o'u gweledigaeth elusennol ehangach.

Er i John weld peintiadau wrth iddo dyfu i fyny, nid yw'n glir pryd ddechreuodd ei ddiddordeb mewn Moderniaeth. Un o'i gyfeillion fel plentyn oedd Geoffrey Howell, ac roedd tad hwnnw, Arthur Howell, yn gasglwr celf arferai gynnal arddangosfeydd yn siop adrannol y teulu. Efallai mai cwmni Geoffrey fu'n gyfrifol am dynnu ei sylw at rai agweddau o beintio cyfoes. Ond mae'n debyg i'w ddiddordeb ddatblygu i raddau helaeth pan roedd yn astudio yn Llundain yn y 1930au, gyda'r cyfle i ymweld ag orielau preifat ac arddangosfeydd cyhoeddus. Rhaid bod ei ddealltwriaeth newydd o seicoleg wedi ei ddenu at ddyfnder emosiynol a nodweddion breuddwydiol llawer o weithiau'r Modernwyr. Ymhlith yr eitemau cynnar yn ei ffeiliau celf roedd catalog ar gyfer arddangosfa *War Paintings* yr Oriel Genedlaethol ym 1944. Am fod y rhan fwyaf o gasgliad yr Oriel Genedlaethol wedi cael ei symud i le diogel, roedd yr adeilad yn cael ei ddefnyddio i ddangos gweithiau cyfoes gan Artistiaid Rhyfel swyddogol. Cafodd gweithiau gan lawer o'r rheiny eu cynnwys yng nghasgliad y teulu neu yng nghasgliad y Methodistiaid yn ddiweddarach – Paul Nash, John Piper, Graham Sutherland, Richard Eurich, John Armstrong a Stanley Spencer. Daeth y Rhyfel ag artistiaid o'r fath i lygad y cyhoedd, trwy gyfleoedd am nawdd, arddangos a chyhoeddi, ar bwnc difrifol a pherthnasol. Gweddnewidiodd rym ac ansawdd y gweithiau hyn syniadau llawer o bobl am gelf.

Erbyn y 1930au, mae'n debyg bod John yn ymwybodol o waith Jim Ede (1895-1990) fel Curadur Cynorthwyol yn Oriel y Tate, ac mae'n sicr ei fod wedi dilyn ei yrfa â diddordeb yn ddiweddarach. Roedd Ede yn hanu o deulu o gyfreithwyr o Benarth a chanddynt gysylltiadau ag Eglwys Fethodistaidd Trinity ac, fel John ei hun, aeth i Ysgol Leys (er ei fod ddwy flynedd ar bymtheg yn hŷn). Cyfarfu Ede â Ben a Winifred Nicholson tua 1924, a daeth i adnabod Christopher Wood, Alfred Wallis a David Jones. Cafodd

in 1946 to assist causes associated with the Methodist Church, overseas aid and the arts. They gave land at the rear of Sea Roads for the construction of Methodist International House, and later for Morel Court Methodist Home for the Aged. Their commissioning of artworks for public buildings and their foundation of the Methodist art collection were part of this wider charitable vision.

Although paintings had been visible to John as he was growing up, it is not clear when his interest in Modernism began. The company of his childhood friend Geoffrey Howell, whose father Arthur Howell was an art collector who showed exhibitions in the family department store, may have made him aware of some aspects of contemporary painting. However, his interest probably developed largely while he was studying in London in the 1930s, with opportunities to visit private galleries and public exhibitions. His new understanding of psychology must have attracted him to the emotional depth and dream-like qualities of many Modernist works. Among early items in his art files was a catalogue for the exhibition *War Paintings* at the National Gallery in 1944. With most of its collection removed for safe-keeping, the National Gallery was being used to show current work by official War Artists, many of whom would in due course be included in the Gibbs family collection or the Methodist collection – Paul Nash, John Piper, Graham Sutherland, Richard Eurich, John Armstrong and Stanley Spencer. The War brought such artists to the forefront of attention, through opportunities for official patronage, exhibiting and publishing, and by engaging with a serious and immediately relevant subject. The power and quality of these works brought about a sea-change in many people's perceptions of art.

John appears to have been aware by the 1930s of the work of Jim Ede (1895-1990) as an Assistant Curator at the Tate, and later he certainly followed his career with interest. Ede came from a Penarth family of solicitors associated with Trinity Methodist Church and like John had attended the Leys School (though he was seventeen years older). Ede met Ben and Winifred Nicholson around 1924 and got to know Christopher Wood, Alfred Wallis and David Jones. He acquired work by all of them for the Tate and his own collection. Ede's interests were echoed by some of John and Sheila's purchases, for example works by Wood, Jones and Wallis. During the 1950s, John and Sheila made two friends through the Methodist Church who confirmed their

weithiau gan bob un ohonynt ar gyfer Oriel y Tate ac ar gyfer ei gasgliad preifat ei hun. Roedd rhai o'r eitemau a brynodd John a Sheila'n adlewyrchu diddordebau Ede, er enghraifft gweithiau gan Wood, Jones a Wallis.

Yn ystod y 1950au daeth John a Sheila i gysylltiad â dau ffrind a ategodd eu brwdfrydedd dros Gelf Fodern a'i rôl mewn crefydd trwy'r Eglwys Fethodistaidd. Un ohonynt oedd Michael Edmonds, oedd wedi dilyn dosbarthiadau nos yng Ngholeg Celf Caerdydd wrth weithio yn y pwll glo yn ystod y Rhyfel, cyn hyfforddi i fod yn bensaer. Celf haniaethol oedd yn mynd â'i fryd o'r dechrau bron, a chreodd llawer o weithiau ar themâu Cristnogol, bu hefyd yn un o sylfaenwyr Grŵp 56. Y llall oedd y Parchedig Douglas Wollen, oedd yn weinidog Methodistaidd ym Mhenarth rhwng 1956 a 1961. Byddai Wollen yn adolygu celf yn *The Times* yn rheolaidd a chafodd ei syfrdanu a'i gyffroi gan y gweithiau a welodd yng nghartref ei stiward newydd. Gyda'i gilydd datblygodd ef a John eu syniadau am safon gweithiau celf mewn eglwysi ac ym 1962 rhoddodd John gyllideb iddo brynu gweithiau ar gyfer arddangosfa deithiol i hyrwyddo'r berthynas rhwng yr eglwys a'r artist.

Y gwahoddiad hwn i Douglas Wollen brynu gweithiau ar gyfer project y Methodistiaid oedd yr unig dro i John a Sheila gomisiynu rhywun arall i ddewis celf ar eu rhan, er bod y rhan fwyaf o gasglwyr preifat wedi tueddu i ddefnyddio ymgynghorwyr arbennig[14]. Mae'n debyg fod John am roi'r cyfle i Wollen gyflawni gweinidogaeth arbennig roedd mor gymwys ar ei chyfer. Ond hyd yn oed wedyn, chwaraeodd John ran amlwg wrth brynu llawer o'r gweithiau: drwy awgrymu lluniau, bidio mewn arwerthiannau a phrynu rhai gweithiau arbennig ar wahân yn ddiweddarach.

Byddai John yn aml yn prynu gweithiau i'w deulu ac i gasgliad y Methodistiaid wrth ymweld ag orielau canol Llundain ar deithiau busnes. Byddai John a Douglas Wollen yn sôn am wneud 'helfa Bond Street' ar bob cyfle. Roedden nhw'n gwybod mai dyma'r ffordd iddyn nhw addysgu eu llygaid a bachu ar bob cyfle i brynu gweithiau perthnasol. Roedd gan John ei hoff orielau, yn enwedig Oriel Redfern yn Llundain ond cafodd ei hudo gan fyd yr ocsiwn, ac roedd wrth ei fodd ar wefr arwerthiannau prysur yn Sotheby's, Christie's a Phillips'. Mewn llythyr at ei fab William ym 1985, rhoddodd flas o amrywiaeth ei ddiddordebau a'r ffordd roedd chwilio am gelf, trefnu arddangosfeydd a chynhyrchu dramâu yn cael eu gwasgu i'w fywyd prysur:

enthusiasm for Modern Art and its religious role. One was Michael Edmonds, who had taken evening classes at Cardiff College of Art while working in collieries during the War and had trained as an architect. He was committed early on to abstract art, making many works on Christian themes, and was a founder member of the 56 Group. The other was Reverend Douglas Wollen, who was one of the Methodist ministers in Penarth from 1956 to 1961. Wollen wrote regularly as an art critic for *The Times* and was surprised and excited by the pictures he discovered in the house of his new circuit steward. John and he developed their thoughts on the standard of art in churches, and in 1962 John provided him with a budget to buy works for their touring exhibition to promote the relationship between the church and the artist.

The invitation to Douglas Wollen to buy for the Methodist project was the only occasion on which John and Sheila commissioned someone else to make choices of art on their behalf, despite the fact that many of the most important private collectors have used specialist advisors[14]. John was probably wishing to give Wollen the opportunity to carry out an extraordinary ministry for which he was so well equipped. Even so, John was closely involved in many of the purchases: suggesting pictures, bidding at auction and later buying some outstanding works separately.

Much of John's purchasing for his family and the Methodist collection was done through regular visits to the central London galleries while on other business. He and Douglas Wollen referred to doing 'the Bond Street crawl' whenever they had the chance, knowing that this was the way to educate their eyes and have opportunities to acquire works of relevance. John had favourite galleries, notably the Redfern in London. However, he became fascinated by auctions, and enjoyed the thrill of attending busy sales at Sotheby's, Christie's and Phillips'. A letter to his son William in 1985 gives some flavour of the diversity of his interests and the way that art-seeking, exhibition-arranging and theatrical production were fitted into a busy life:

Roedd dydd Iau'n ddiwrnod digon prysur i mi. Yn gyntaf es i i Amgueddfa Capel Wesley, lle mae cryn dipyn o Fethodistiaeth a'r Celfyddydau erbyn hyn .... Wedyn ymlaen i Oriel Mercury yn Cork Street lle roedd lluniau gwreiddiol David Gentleman ar gyfer ei lyfr newydd am Lundain yn cael eu harddangos. Gan fod y noson agoriadol nos Fercher roedd gan tua hanner y lluniau gylchoedd neu hanner cylchoedd coch arnynt, prynais ddau lun i Simon; nid y golygfeydd godidog o Greenwich neu'r Senedd ond un o'r afon ac un o ardal y Dociau. Wedyn i'r clwb i gael cinio. I fyny ar y Jubilee Line i Baker St i Swyddfa'r Ysgolion a Cholegau Methodistaidd i weld Donald Tranter. Yng Nghynhadledd ddiwethaf y Westminster Schools roedd dy fam a minnau'n teimlo'n hen iawn a chytunais â Donald y byddwn i'n rhoi'r gorau i Gadeiryddiaeth y Bwrdd Rheoli.... Yn olaf i'r Westminster Theatre lle gwyliais i'r ymarferion munud olaf ar gyfer rhai o'r golygfeydd, rhai mân newidiadau....[Noson gyntaf drama Daniel Pearce Man of Two Worlds oedd hon] *Cyn newid i'm siaced gan fy mod i i bob pwrpas ar ddyletswydd fel Cadeirydd Aldersgate ac es i allan i'r cyntedd wrth i bobl ddechrau cyrraedd.*

On Thursday I had quite an eventful day. Firstly to the Museum at Wesley's Chapel where quite a lot of Methodism and the Arts is now in position.... Then I went to the Mercury Gallery in Cork Street where David Gentleman's originals for his new book on London were on view. The opening night being the Wednesday there were already about half of the pictures with red circles or half circles on them, I bought two pictures for Simon; not the grand views of Greenwich or the Houses of Parliament but one of the river and one of the Dock area. Then to club for lunch. Up on the Jubilee Line to Baker St to the Methodist Schools and Colleges Office. I was to see Donald Tranter. At the last Westminster Conference of the Schools your mother and I felt very senior and I agreed with Donald that I would give up the Chairmanship of the Board of Management.... Finally to the Westminster Theatre where I watched the last-minute rehearsals of scenes, some slight changes.... [This was the first night of Man of Two Worlds, a play by Daniel Pearce] *Then changed into my dinner jacket. I was, so to speak, on duty as the Chairman of Aldersgate and went into the foyer when people soon started to arrive.*

Ym 1983, symudodd John a Sheila i dŷ newydd yn Portland Close, nepell o Sea Roads. Partneriaeth Percy Thomas ddyluniodd y tŷ ar eu cyfer i gyd-fynd â ffasadau Marine Parade, ac enillodd un o Wobrau Dylunio Tai Cymru. Rhoesant nifer o ddarnau i bobl eraill wrth symud tŷ, ond roedden nhw'n dal i brynu gweithiau ar gyfer eu cartref newydd.

Ym 1990, yn saithdeg wyth oed, roedd John wrthi o hyd yn hyrwyddo celf grefyddol. Cafodd arddangosfa ei threfnu yn Nhŷ Turner oedd yn tynnu casgliad y Methodistiaid, rhai o weithiau John a Sheila eu hunain, a sawl darn o Amgueddfeydd ac Orielau Cenedlaethol Cymru at ei gilydd. Wrth siarad amdanynt mewn cyfweliad radio gyda BBC Wales, roedd yn nodweddiadol o fywiog a chynnes, ac yn adlewyrchu ei natur a'i ddiddordeb dymunol a'i dynerwch. Roedd hi'n amlwg nad statws na chefndir yr artistiaid oedd yn cyffroi ei angerdd a'i ddiddordeb ond cynnwys y lluniau a'r ffordd roeddent yn effeithio arno, ac ar bobl eraill - yn enwedig plant. Dyma oedd bwysicaf i John a Sheila gydol eu hoes.

John and Sheila moved in 1983 to a new house a few hundred yards from Sea Roads: Portland Close. Designed for them by the Percy Thomas Partnership to sit comfortably next to the facades of Marine Parade, it won a Housing Design Award Wales. They gave away a number of important pieces at the time of their move, but continued to acquire works for their new home.

In 1990, at the age of seventy-eight, John was still active in the promotion of religious art. An exhibition was organised at Turner House that brought together the Methodist collection with works of John and Sheila's own and several from the National Museums & Galleries of Wales. When he talked about them in a radio interview for BBC Wales it was typical that he spoke with liveliness and warmth, reflecting an engaging absorption and lightness of touch. It was apparent that his passion and fascination were not excited by the status or background of the artists but by the content of the pictures and how they affected him and other viewers, especially children. For both John and Sheila, throughout their lives, this was what counted most.

Byw gyda chelf: y tŷ a'i luniau

Yn fuan ar ôl priodi, prynodd John a Sheila Penarth House, plasty o oes Fictoria a adeiladwyd gan hen ewythr John, Philip Morel. Penderfynodd y ddau i ddefnyddio'r safle i adeiladu rhywbeth llai crand. Roedd eu penderfyniad i ddymchwel y tŷ'n hollol annealladwy i'r rhan fwyaf o'r teulu, ond blynyddoedd wedyn datgelodd John ei resymau ei hun wrth ysgrifennu hanes cwmni Morel, gan ddisgrifio cartref newydd y Philip Morels,

> *Dim ond carreg sarn wrth symud i Benarth ei hun ym 1895 oedd hwn, i'r tŷ brics coch mawr a gododd Philip iddo'i hun mewn pedair erw o dir ym mhen isaf Marine Parade, a'i alw'n llawn balchder ymwybodol "Penarth House". Roedd Martha, ei wraig, braidd yn wamal ei meddwl.... Roedd hi'n feistres ar dŷ crand. Roedd yr ystafelloedd derbyn yn ysblennydd, a'r parlwr wedi'i ddodrefnu yn arddull Louis XV.*

Roedd y 'tŷ crand' wedi bod yn wag ers rhyw ddeng mlynedd pan brynodd John a Sheila ef. Teimlai Sheila ei fod yn lle anghenfilaidd ac yn lle annifyr i fagu teulu: 'rhy grand; rhy anghyfleus'. Ond roedd dymchwel hwn a chodi'r tŷ Modernaidd radical a ddaeth yn ei le yn arwydd o hyder eithriadol y pâr ifanc yn eu hugeiniau canol. Peth cywilyddus yn y byd sydd ohoni fyddai dymchwel adeilad oedd yn nodweddu chwaeth oes Fictoria yn lleol, ond roedd Penarth House ymhell o fod yn adeilad hanesyddol yn y 1930au; nid oedd ond deugain oed.

Roedd project adeiladu John a Sheila'n ymgorffori eu cynildeb. Roedd y plot tri chwarter gwaith yn llai a'r tŷ newydd yn isel ac yn llai o lawer, yn troi i mewn tua'r lawntiau a'r coed yn hytrach na chodi'n amlwg dros ben y ffordd. Cafodd pum tŷ a dwy gymuned breswyl eu hadeiladu ar weddill y tir o dipyn i beth. Rhoesant enw llai rhodresgar i'r tŷ, Sea Roads, i gydnabod yr angorfa longau brysur gerllaw oedd wedi cynrychioli ffyniant busnes y teulu ers amser maith. Yn hytrach na'r arddull Neo-Sioraidd oedd yn gyffredin ar y pryd, eu dewis oedd eglurder arloesol Moderniaeth Ryngwladol: dewis oedd bron yn unigryw ar gyfer tŷ preifat yn ne Cymru'r 1930au. Aethant i weld nifer o benseiri yn ardal Caerdydd a gofyn am gael gweld popeth roedden nhw wedi ei wneud o'r blaen. Y dewis yn y pendraw oedd y pensaer Gordon H. Griffiths, er nad oedd wedi gwneud unrhyw waith tebyg

Living with art: a house and its pictures

Shortly after their marriage, John and Sheila bought the Victorian mansion built by John's great-uncle Philip Morel, Penarth House, and decided to use the site to build something less grandiose. The demolition was incomprehensible to most members of the family, but John revealed his own views many years later in his history of the Morel firm, describing the new home of the Philip Morels:

> *This was but a stepping stone to moving into Penarth itself in 1895 to the large red brick house standing in four acres of ground at the bottom of Marine Parade which Philip built for himself and named with conscious pride: "Penarth House". Martha, his wife, was of a somewhat frivolous frame of mind.... She was mistress of a prestigious house. The reception rooms were magnificent, the drawing-room being furnished in Louis XV style.*

The 'prestigious house' had been empty for some ten years when they bought it. Sheila felt it was a monstrous place, where bringing up a family would be daunting: 'too grand; too inconvenient'. Even so, to demolish this and build the radical Modernist house that followed in its place was a sign of extraordinary confidence in a couple only in their mid-twenties. It seems shocking to have pulled down what would now be deemed a local landmark of Victorian taste, but in the 1930s Penarth House was far from being deemed an historic building: it was just forty years old.

John and Sheila's project embodied their discretion, reducing the size of the plot by three quarters and building a low and much smaller house, turned inwards to the lawns and trees rather than rising conspicuously over the road. In due course, five houses and two residential communities would be built on the remainder of the land. They gave the house a less lordly name, Sea Roads, in recognition of the bustling ship anchorage nearby that had long represented the prosperity of the family business. Instead of the widely acceptable Neo-Georgian style, they chose the forward-thinking clarity of International Modernism: almost a unique choice for a private house in south Wales in the 1930s. They visited a number of architects in the Cardiff area and

Penarth House yn ystod y gwaith dymchwel ym Mehefin 1939
Penarth House during demolition work in June 1939

o'r blaen. Er iddyn nhw drafod y posibiliadau gydag ef, roedd y gwaith o ddatblygu'r syniadaeth yn nwylo Griffiths ei hun Roedd gan y tŷ newydd do gwastad a rendr gwyn, ynghyd â ffenestri mawr a baeau crwm ar bob ochr.

Y tu fewn, roedd y tŷ'n gymharol geidwadol: heblaw am y grisiau tro cain. Doedd yna ddim gofod cynllun-agored deinamig, yn hytrach roedd yr ystafelloedd yn gonfensiynol eu maint ac wedi'u gwahanu; gyda chyntedd canolog yn arwain iddynt. Ond nid oedd brestiau simnai nac alcofau ar y waliau ac roeddent wedi'u peintio'n wyn yn ôl y ffasiwn Modernaidd. Roedd hynny, gyda'r ffenestri di-dor bron, yn creu gofod gwyn a phur. Byddai hongian lluniau dyfrlliw Fictoraidd yma ('lluniau defaid', fel byddai Sheila'n eu disgrifio) yn annirnadwy. Dechreuodd y tŷ alw am weithiau celf cydnaws i'w ddodrefnu.[15]

Pan symudodd John a Sheila i Sea Roads o'r diwedd ym 1944, wedi iddo fod yn ysbyty i'r Llu Awyr am dros bedair blynedd, roedd ganddynt eu cynlluniau gwisgoedd gan Motley, a roesant yn eu hystafell wely, a darlun o Sheila gan Andrew Burton. Roeddent wedi cael gafael ar ddau ddarn Modernaidd gan John Piper a John Armstrong hefyd ac

asked to see everything they had done previously. They chose Gordon H. Griffiths, who had done no similar work before, and talked with him about the possibilities before leaving him to develop the conception. The resulting house was asymmetrical, flat-roofed and rendered white, with large windows and curved bays on each side.

In internal layout, the house was relatively conservative: apart from the elegantly curving staircase, there was no dynamic, open-plan space, but instead conventionally-sized and separated rooms accessible from a central hallway. However, the walls were clear of chimney breasts and alcoves and painted white in the Modernist fashion. With the almost continuous windows it was a light, pure space. To hang Victorian watercolours here ('pictures of sheep', as Sheila characterised them) would have been inconceivable. The house began to demand complementary works of art to furnish it.[15]

When they finally moved into Sea Roads in 1944, after it had been an RAF hospital for more than four years, John and Sheila had their Motley costume designs,

Stydi a lolfa Sea Roads tua 1960
The study and sitting-room at Sea Roads *c.*1960

roedd y rhain yn hongian yn y stydi sef ystafell ganolog y tŷ, oedd yn agor allan i'r lolfa.

Llun Piper oedd y gwaith pwysig cyntaf i ddod i'w meddiant. Gellir ystyried hwn yn arwydd bod y pâr ifanc o ddifrif ynghylch celf gyfoes. Prynodd John y darn o Oriel Redfern yn Cork Street yn Awst 1943. Roedd Piper yn hwyr yn ddechrau ei yrfa fel arlunydd a bryd hynny, dim ond 40 oed oedd e. Eto i gyd, roedd e eisoes yn cael ei ystyried fel un o'r artistiaid cyfoes mwyaf dylanwadol. Roedd ei erthyglau'n adnabyddus, ac roedd ei lyfr *British Romantic Artists* wedi cael ei gyhoeddi'r flwyddyn flaenorol. Celfyddyd Neo-Ramantaidd oedd wedi diffinio ysbryd yr oes yn ystod y Rhyfel, ac i gefnogwyr yr arddull, Piper oedd yn arwain datblygiad artistig Prydain.

Peintiad o dŷ gwledig Seaton Delaval yn Northumberland oedd wedi mynd â'i ben iddo oedd hwn. Cafodd ei greu tua 1941 yn ôl pob tebyg, sef dyddiad peintiad enwog arall o'r un testun a brynodd Kenneth Clark a'i roi i Oriel y Tate ym 1946. Yn wahanol i fersiwn y Tate, sy'n canolbwyntio ar waith maen enfawr Vanbrugh o gwmpas y brif fynedfa, astudiaeth oedd hon o bensaernïaeth yr adeilad i gyd mewn golau dramatig. Ysgrifennodd Piper am ei ymweliad â'r tŷ a'i ddirnadaeth o'i nodweddion

which they hung in their bedroom, and a portrait of Sheila by Andrew Burton. They had also by now acquired Modernist works by John Piper and John Armstrong. They hung these in the study: the central room in the house, which could be opened to the sitting room by drawing back dividing panels.

The Piper was the first important work they acquired. It can be seen as an indication of the young couple's seriousness about contemporary art. John bought it from the Redfern Gallery in Cork Street in August 1943. Piper was a late starter as a painter and by this time was aged just forty, yet he was already regarded as one of the most influential contemporary artists. His articles were well known, and his book *British Romantic Artists* had been published the previous year. For the supporters of Neo-Romantic art in particular, which had defined the spirit of the age during the War, Piper was at the forefront of artistic development in Britain.

The painting was of the ruined country house Seaton Delaval in Northumberland. It was almost certainly made around 1941, the date of the famous painting of the same subject purchased by Kenneth Clark and

Sea Roads tua 1980

Sea Roads *c.* 1980

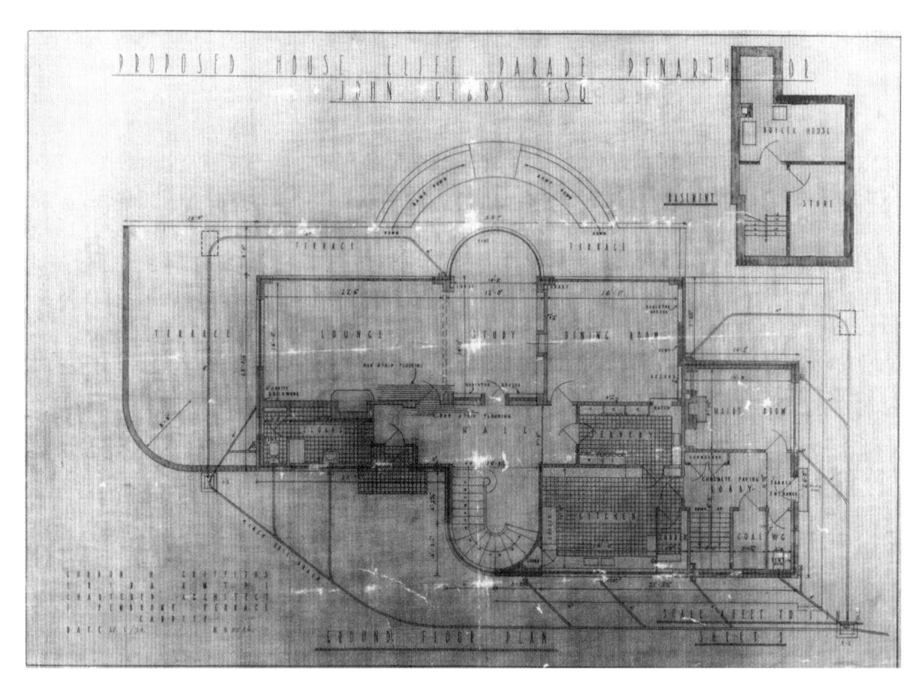

Cynllun Sea Roads: y Llawr Gwaelod

Plan for Sea Roads: Ground Floor

haniaethol a'i rym emosiynol fel rhywbeth oedd yn cynrychioli difrod y bomiau yn ninasoedd Prydain yn ddiweddarach: '... ocr a choch fel tafodau tân, yn dyllog, wedi'u staenio yn wmber porffor a du, mae'r lliw yn gyfoes dros ben: yn perthyn i'n dyddiau ni....'[16].

Penderfynodd Piper mai cofnodi adeiladau'r wlad ar adeg pan roedd eu tynged yn cynrychioli bygythiadau mwy i'r byd gwareiddiedig oedd ei dasg. Erbyn 1941 roedd wedi gweld canlyniadau'r bomio yn Coventry ac wedi creu delweddau eiconig o'i Heglwys Gadeiriol adfeiliedig. Peintiodd sawl tŷ gwledig mawr, gan ddechrau gyda'r Hafod yn y canolbarth ym 1939. Arbrofodd gyda fformat hirfain, er enghraifft yn *Lacock Abbey* (1942) a *Renishaw* (1942-3), ond roedd y fersiwn hwn o *Seaton Delaval* gyda'i led '*Cinemascope*' yn gwthio'r ffurf i'w heithaf. Roedd yn agosáu at ei gyfnod mwyaf ffres a disglair tua 1939 a 1940. Mae'r technegau haniaethol a'r marciau serendipaidd a ddefnyddiodd yn ei beintiadau olew yn y cyfnod hwn yn ddyledus iawn i syniadau Modernaidd. Fel arfer byddai'n gweithio ar gynfas ar fwrdd, gan dorri a naddu i wneud gwahanol rannau. Byddai'n defnyddio'r gwead i roi egni i'r ddelwedd ag impasto trwchus a sgraffito ac yn patrymu â strociau brwsh sydyn, neu drwy sgraffinio'r bwrdd odano â chrafiadau. Roedd ei waith peintio'n gwbl haniaethol ganol y 1930au pan roedd ef a'i wraig Myfanwy Evans wedi bod yn gysylltiedig ag artistiaid blaenllaw'r *avant garde* yn Ewrop, gan gynnwys Braque, Brancusi, Nicholson, Picasso a Gabo. Ond roedd wedi darganfod arddull dywyll, brudd, wedi'i bywiogi gan ambell i ddarn o liw cryf. Daeth hyn o edrych fwyfwy ar artistiaid ffigurol, gan gynnwys y diweddar Christopher Wood a'r Rhamantwyr Prydeinig mawr Turner a Blake. Rhaid bod y dyfnder seicolegol y delweddau hynny wedi apelio at John yn arbennig.

Daeth llun arall i ymuno â gwaith Piper ym mis Gorffennaf 1944, sef *Y Cerrig yn Gweiddi* a beintiodd John Armstrong y flwyddyn honno. Daeth hwn o un o arddangosfeydd rheolaidd Orielau Leicester, *Artistiad o Fri ac Addewid*. Roedd Armstrong wedi gwneud enw iddo'i hunan drwy gyfres o arddangosfeydd unigol a thrwy ei rôl fel Artist Rhyfel. Cafodd ei fagu yn fab i offeiriad Eglwys Loegr yn Sussex. Fel John, astudiodd ar gyfer gradd yn y Gyfraith a throdd ei gefn ar y proffesiwn. Astudiodd beintio yn Ysgol Gelf St John's Wood a daeth yn gynllunydd gwisgoedd gan weithio ar y llwyfan ac ar ffilmiau fel *Things to Come* (1936), *As you Like It* gyda Laurence Olivier yn chwarae'r

given to the Tate Gallery in 1946. Unlike the Tate's version, which closes in on Vanbrugh's massive masonry around the main entrance, this was a study of the whole architectural arrangement, struck by dramatic lighting. Piper wrote later about his visit to the burned-out house, his perceptions of its abstract qualities and its emotional power as an equivalent to the bomb damage wreaked on British cities: '... ochre and flame-licked red, pock-marked and stained in purplish umber and black, the colour is extremely up to date: very much of our times....'[16]

Piper took it as his task to record the buildings of the country at a time when their fate symbolized greater threats to the civilized world. By 1941, he had already experienced the immediate aftermath of the blitz of Coventry and had created iconic images of its ruined Cathedral. He painted several country houses, beginning with Hafod in mid-Wales in 1939, experimenting with an elongated format at Lacock Abbey (1942) and Renishaw (1942-3), which the Cinemascope breadth of this version of Seaton Delaval pushed to its limits. With the oil paintings he produced around 1939 and 1940 he was reaching his most brilliant period, using techniques that owed a great deal to Modernist ideas about abstraction and serendipitous mark-making. Typically, he worked on canvas laid on board, cutting and paring away to make different passages, using the texture of the weave, energising the image with thick impasto and sgraffito, patterning with flicked brushstrokes, or abrading the board underneath with scratches. His compositions were informed by his purely abstract painting of the mid-1930s, when he and his wife Myfanwy Evans had been associated with leading artists of the European *avant garde*, including Braque, Brancusi, Nicholson, Picasso and Gabo. However, he had recently discovered a dark, moody style, enlivened by patches of intense colour, which came from looking increasingly at figurative artists, including Christopher Wood and the great British Romantics Turner and Blake. The psychological depth in the resulting images must have appealed to John particularly.

The Piper was joined in July 1944 by *The Stones Cry Out* by John Armstrong, painted that same year, from one of the Leicester Galleries' regular exhibitions *Artists of Fame and Promise*. Armstrong's reputation had

John Piper, (1903-1992),
Seaton Delaval, Northm, dim dyddiad, tua 1941, olew ar gynfas wedi'i osod ar fwrdd, 29x85.4cm

John Piper (1903-1992),
Seaton Delaval, Northm, undated, *c.*1941, oil on canvas laid on board, 29x85.4cm

brif ran (1937) a *Thief of Bagdad* (1940) Michael Powell.

Mae i lawer o waith Armstrong ryw naws ansicr; mae fel petai'n datgelu'r metaffisegol sydd dan groen ei destunau. Ef oedd un o sylfaenwyr y mudiad celf hollbwysig ond byrhoedlog Unit One ym 1933, gyda Paul Nash, Ben Nicholson, Edward Burra, John Selby Bigge ac Edward Wadsworth. Nod y mudiad oedd cefnu ar gategoreiddio celf a chysylltu swrrealaeth a haniaeth.[17] Er iddo ymwrthod â theyrngarwch llwyr i'r mudiad Swrrealaidd, roedd yn aml yn chwarae â graddfa ac yn gosod pethau'n annisgwyl mewn tirluniau a chanddynt eglurder breuddwydiol. Mae ryw ansawdd arallfydol hyd yn oed i'w lluniau mwy disgrifiadol fel Artist Rhyfel, fel ei ddarlun o fferm wedi'i bomio yng Nghymru ym 1940 sydd yn yr Amgueddfa ac Oriel Genedlaethol. Mae *Y Cerrig yn Gweiddi* yn pontio rhwng ei waith seciwlar a'i destunau crefyddol, sy'n gymharol brin. Er mai astudiaeth bensaernïol yw hon i bob golwg, mae'r cerfluniau o angylion enfawr yn sefyll ar ben eu bwtresi hedegog wedi dod yn fyw. Cyfeiriad at *Luc 19:40* yw teitl y gwaith – wrth i Grist ddod i Jerwsalem mae'r Phariseaid yn mynnu ei fod yn ceryddu ei ddisgyblion am ei foli fel Brenin, a dywed ef 'Rwy'n dweud wrthych, os bydd y rhain yn tewi, bydd y cerrig yn gweiddi.' Gan ei fod yn peintio wrth i'r brwydro yn y rhyfel gyrraedd ei anterth, a D-Day yn yr arfaeth neu newydd ddechrau, efallai bod Armstrong yn myfyrio ar yr angen i gydnabod grym uwch.

been established by a series of solo exhibitions and his role as a War Artist. He had been brought up as the son of a Church of England clergyman in Sussex. Like John he read for a degree in Law and turned his back on the profession. He studied painting at St John's Wood School of Art and became a costume designer, working on stage and in films such as *Things to Come* (1936), *As you Like It* starring Laurence Olivier (1937) and Michael Powell's *Thief of Bagdad* (1940).

Much of Armstrong's work has an air of the uncertain, seemingly exposing the metaphysical beneath the appearances of its subjects. He had been one of the founders of the critical but short-lived art movement Unit One in 1933, with Paul Nash, Ben Nicholson, Edward Burra, John Selby Bigge and Edward Wadsworth, the aim of which was to break away from categorisations of art and link surrealism and abstraction.[17] While he rejected a full adherence to the Surrealist movement, he frequently played with scale and placed objects unexpectedly in landscapes that were painted with dream-like clarity. Even his more descriptive pictures as a War Artist, such as his painting of a bombed Welsh farm in 1940 at the National Museum & Gallery, have an other-worldly quality. *The Stones Cry Out* provides a bridge between his secular work and his relatively few religious subjects. Although it is ostensibly an architectural

Prynwyd yr eitem olaf o gyfnod y rhyfel ar ôl i'r teulu symud i Sea Roads. Peintiad gan Richard Eurich oedd hi, *Y Trên Nwyddau*. Prynodd Sheila'r darn ar gyfer ystafell wely dau o'u meibion mewn arddangosfa o'r enw '*Paintings for Children*' yn Oriel Redfern yn Ebrill 1945. Fel Piper ac Armstrong, roedd Eurich wedi bod yn Artist Rhyfel, ond am ei fod yn gweithio gyda'r Morlys bu'n darlunio'r frwydr yn hytrach na'r sefyllfa gartref. Nid oedd yn artist haniaethol nac yn swrrealydd, yn hytrach bu'n peintio lluniau morol am y rhan fwyaf o'i yrfa. Roedd i'w waith nodweddion lled-freuddwydiol o realaeth ddwys ac uniongyrchedd diniwed oedd yn rhoi teimlad modernaidd iddo. Ar gyfer yr arddangosfa hon peintiodd weithiau bychain bach llawn golau a smaldod annwyl fyddai, debyg iawn, yn rhoi gollyngdod iddo o'i brofiadau yn y rhyfel.

Y Redfern oedd hoff oriel John a Sheila erbyn hynny. Cafodd ei sefydlu fel cwmni cydweithredol i artistiaid ym 1923 i arddangos celf Fodernaidd radical a bu'n arddangos gwaith Barbara Hepworth a Henry Moore o'r cychwyn cyntaf. O dipyn i beth, daeth yn gwmni preifat dan arweiniad Syr Rex Nan Kivell o Seland Newydd, a symudodd i Cork Street ym 1936. Erbyn y tridegau diweddar roedd wedi ennill ei phlwyf fel ffynhonnell ddibynadwy ar gyfer gweithiau hanesyddol a Modern gan artistiaid blaenllaw gan gynnwys y meistri rhyngwladol, o Delacroix a Corot i Bonnard a Picasso. Mae'n bosibl bod John a Sheila wedi gweld gwaith llawer o'r artistiaid yr oeddent mor hoff ohonynt am y tro cyntaf yn Oriel Redfern. Cafwyd arddangosfa gynhwysfawr o waith Christopher Wood yno ym 1938, yr arddangosfa gyntaf un o gyfres *Miserere* Rouault ym 1948, ac ymhlith artistiaid eraill y prynodd John a Sheila eu gwaith yn y pen draw, Sidney Nolan, Lucian Freud, Patrick Heron, Paul Nash a Peter Lanyon.

Y gweithiau nesaf a gawsant o Oriel Redfern yn Hydref 1948 oedd y cerrig milltir a gadarnhaodd bod John a Sheila o ddifrif am eu diddordeb mewn celf Fodern. Peintiadau gan enwau mawr byd celf Prydain oedd y rhain, sef Paul Nash a Christopher Wood. Roedd y ddau yn weithiau pwysig a chawsant le amlwg yn y lolfa yn Sea Roads.[18] Prynodd John y ddau lun pan oedd yn Llundain ar ei ben ei hun. Meddai Sheila dros hanner canrif wedyn, 'fyddai John ddim yn hoffi meddwl ei fod wedi eu prynu nhw heb drafod â mi, ond dyna wnaeth e'.

study, the huge angel sculptures standing atop their flying buttresses have come to life. The title is a reference to *Luke 19:40*, when during Christ's entry into Jerusalem the Pharisees demand that he rebuke his disciples for praising him as King, and he says, 'I tell you that, if these should hold their peace, the stones would immediately cry out.' Painting at the crescendo of wartime engagement, with the D-Day landings anticipated or just begun, Armstrong may have been meditating on the need to acknowledge a higher force.

The final wartime purchase was made after the family had moved into Sea Roads. It was a painting by Richard Eurich, *The Goods Train*, bought by Sheila at the Redfern Gallery's exhibition of *Paintings for Children* in April 1945 and destined for the bedroom of two of their sons. Like Piper and Armstrong, Eurich had been a War Artist, but he had been attached to the Admiralty and depicted the conflict rather than the home front. Although neither an abstract artist nor a surrealist, and essentially a marine painter for most of his career, his work had subtly dreamlike qualities of heightened realism and child-like directness that lent it a modern quality. For this exhibition he painted tiny works with glowing light and a charming whimsy, which must have provided relief from his wartime experiences.

The Redfern was by now John and Sheila's favourite gallery. It had been founded in 1923 as an artists' co-operative committed to radical Modernist art and showing Barbara Hepworth and Henry Moore from the start. It gradually became a privately owned company, led by the New Zealander Sir Rex Nan Kivell, moving to Cork Street in 1936. By the late 1930s, it had established itself as a reliable source of both historic and Modern works, showing international masters from Delacroix and Corot to Bonnard and Picasso. Many of the artists who became of interest to the Gibbs may have been ones they first saw at the Redfern: it showed a comprehensive exhibition of Christopher Wood in 1938, the first exhibition anywhere of Rouault's *Miserere* series in 1948, and among other artists eventually purchased by John and Sheila, Sidney Nolan, Lucian Freud, Patrick Heron, Paul Nash and Peter Lanyon.

John Armstrong (1893-1973),
Y Cerrig yn Gweiddi, 1944, tempera wy ar fwrdd, 77.5x55.5cm

John Armstrong (1893-1973),
The Stones Cry Out, 1944, egg tempera on board, 77.5x55.5cm

Yn ddiweddarach, byddai'r dau'n ymweld ag orielau gyda'i gilydd yn gyson.

Paul Nash oedd un o gewri celf Prydain. Bu'n gyfrifol am rai gweithiau unigol eiconig ac am ddyfeisio math o Foderniaeth Brydeinig oedd yn graff yn seicolegol ac yn ysbrydol wrth gyfuno swrrealaeth â natur a'r tirlun.

The next acquisitions from the Redfern, in October 1948, were the landmarks that established the seriousness of John and Sheila's interest in Modern art. These were paintings by famous names in the British art world, Paul Nash and Christopher Wood, and both were important works.[18] They took pride of place in the sitting room at Sea Roads. John bought

Paul Nash (1889-1946),
O'r Efail, tua 1927-8, olew ar gynfas, dwyochrog, 42.5x52.5cm
Paul Nash (1889-1946),
From the Smithy, c.1927-8, oil on canvas, double sided, 42.5x52.5cm

Roedd wedi gwneud enw iddo'i hunan yn barod gyda'i luniau dychrynllyd o ddinistr y Rhyfel Byd Cyntaf, yn enwedig ei ddarlun enwog o Menin Road 1918, lle lladdwyd tad John. Pan brynodd John y darlun roedd Nash yn ddylanwad mawr ar lawer o'r Neo-Ramantwyr cyfoes. Roedd wedi marw dwy flynedd ynghynt ac roedd ei Arddangosfa Goffa yn Oriel y Tate wedi cau ers cwta chwe mis.

Roedd dwy ochr i'r peintiad, ond y prif waith oedd yr ochr o'r enw *Cân Ffarwel* (*Swan Song*, tudalen 11). Dyma'r llun cyntaf yng nghyfrol Herbert Read ar Paul Nash yng nghyfres *Modern Masters* cwmni Penguin, ym 1944. Roedd y cyhoeddiad, a ysgrifennwyd tra bo Nash yn dal yn fyw, yn priodoli ei deitl ac yn ei ddyddio i 1927-8, pan oedd Nash yn byw yn Iden, ger Rye yn Sussex. Roedd Read yn credu bod hwn yn gyfnod arbrofol yng ngyrfa Nash ac

the two pictures while in London on his own. Sheila said more than half a century later, 'he would not have liked to think of himself having bought them without consulting me, but he did'. Later, they frequently went to galleries together.

Paul Nash was one of the giants of British art, responsible for some iconic individual works and the invention of a psychologically and spiritually acute British strand of Modernism that combined surrealism with nature and landscape. He had made his early reputation with his searing depictions of the destruction of the First World War, especially his famous 1918 painting of the Menin Road, where John's father had been killed. When John bought the picture Nash was a significant influence on the current Neo-

awgrymodd fod *Cân Ffarwel* yn rhagflas o'i gyfnod Swrrealaidd newydd. Meddai,'mae'r ffordd i bob golwg yn agored i ryddid dychmygus sy'n dra gwahanol i arddull cynharach yr artist', a chyfeiriodd at 'ymgais i fynd â'r awydd am haniaetholdeb i fyd ffantasi'[19]. Benthycodd y Redfern *Cân Ffarwel* i'r Tate ar gyfer eu harddangosfa o waith Paul Nash ym 1944, a benthycodd John a Sheila'r darn i arddangosfa Cyngor Prydain ar Paul Nash yng Nghanada ym 1949-50. Roedd y darn mor bwysig i'r Tate ar gyfer eu harddangosfa oedd yn edrych yn ôl ar waith Nash ym 1975 nes iddynt hysbysebu'n aflwyddiannus yn *The Times* bedair gwaith i geisio dod o hyd iddo.[20]

Mae'r peintiad yn llawn cyfeiriadau, ond mae'n agored i'w ddehongli mewn pob math o ffyrdd. Mae'r teitl yn cyfeirio at y gred fod elyrch yn crio'n ddolefus cyn marw, trosiad am unrhyw lewyrch bach olaf cyn darfod. Mae yna awgrym nad ym 1927-8 y cafodd y darn ei beintio, ond yn union ar ôl marwolaeth tad yr artist yn Chwefror 1929.[21] Ysgrifennodd Nash y darn canlynol ar gyfer ei arddangosfa yn Oriel Redfern ym 1937:

> *Dechreuais i ddarganfod arwyddocâd y gwrthrych difywyd, fel y'i gelwir. O hynny ymlaen, roedd Natur yn llawn bywyd newydd yn fy llygaid i. Roedd gan y dirwedd fywiogrwydd gwahanol hefyd. Daeth synfyfyrio ar harddwch personol carreg a deilen, rhisgl a chragen, a'u dyrchafu i egwyddorion digwyddiadau dychmygol, yn ddiddordeb newydd i mi. Dychmygu yn lle dehongli....*

Mae'r caws llyffant sydd yng nghanol *Cân Ffarwel* yn rhoi fflach o liw i lwydni'r hydref. Mae'n ddiddorol mai amanita'r pryfed yw'r caws llyffant, ffwng hardd ond gwenwynig tu hwnt ac iddo liwiau rhybuddiol coch a gwyn. Mae ei bresenoldeb yn dwyn i gof wyrth tyfiant a pherygl angau'r un pryd. Mae deilen grin yn chwythu yn y gwynt fel petai'n tynnu cymylau llwydion i lawr dros y darn olaf o lesni sydd ar ôl yn yr wybren. Mae'r cyfansoddiad ar sail *Genedigaeth Fenws* gan Botticelli, gyda llannerch o goed, blaen traeth a môr mewn trefn debyg. Mae'r caws llyffant yn lle Fenws a'r dail meirw yn lle ffigyrau eraill – yr un ar y chwith yn hedfan fel personoliad Botticelli o'r gwynt. Mae'n bosibl bod yma gyfeiriad at *Gwanwyn* Botticelli hefyd - mae'r tair deilen grin yn sefyll ar eu blaenau'n cydfateb yn berffaith i'r Tair Gras ac mae Fenws wedi'i gwisgo mewn coch a gwyn fel caws llyffant Nash. Mae'r cyfeiriadau hyn at beintiadau mytholegol

Romantics. He had died two years before, and his Memorial Exhibition at the Tate Gallery had closed only six months earlier.

The painting was double-sided, but it was the side known as *Swan Song* (see p.11) that was the principal work. It was the first plate in Herbert Read's volume on Paul Nash in the Penguin Modern Masters Series (1944). This publication ascribed its title and dated it to 1927-8, when Nash lived at Iden, near Rye in Sussex. Read regarded this as an experimental phase in Nash's career and suggested that *Swan Song* anticipated his new Surrealist phase. He said, 'the way seems open to an imaginative freedom of treatment far removed from the artist's earlier style', and referred to 'an attempt to carry the urge to abstraction into the realm of fantasy'.[19] *Swan Song* was loaned by the Redfern to the Tate exhibition of Paul Nash in 1944, and John and Sheila loaned it to the British Council's Paul Nash exhibition in Canada in 1949-50. The Tate regarded it as so important to their Nash retrospective in 1975 that in trying unsuccessfully to locate it they advertised on four occasions in *The Times*.[20]

The painting is rich in allusion, but open to multiple interpretations. The title refers to the belief that swans make a plaintive call before they die, a metaphor for any last, brief flourishing before the end of things. It has been suggested that it may have been painted not in 1927-8 but in the immediate aftermath of the death of the artist's father in February 1929.[21] Nash wrote for his exhibition at the Redfern Gallery in 1937:

> *I began to discover the significance of the so-called inanimate object. Henceforth, Nature became endowed for me with new life. The landscape, too, seemed now possessed of a different animation. To contemplate the personal beauty of stone and leaf, bark and shell, and to exalt them to the principles of imaginary happenings, became a new interest. To imagine instead of to interpret....*

Swan Song's central toadstool makes a flash of colour amid autumnal greyness. It is intriguing that this is a fly agaric, a beautiful but highly poisonous fungus in the warning colours of red and white. Its presence brings to mind simultaneously the miracle of growth and the

Botticelli o dreigl y tymhorau fel petaent yn tanlinellu mai dyma oedd thema Nash. Er hynny, yn ei weledigaeth Swrrealaidd, mae'r gwrthrychau wedi'u trefnu mewn ffordd amhosibl. Ysgrifennodd Margot Eastes yn *Paul Nash, 1889-1946* (1973),

> *Yn y peintiad mae tair dyfais roedd Nash yn eu defnyddio'n gyson mewn peintiadau diweddarach – chwyddo'r 'Gwrthrych Naturiol', y raddfa ddeuol neu driphlyg a'r gorwel deuol. Yr hyn sy'n syndod am Cân Ffarwel yw'r ffordd gwbl feistrolgar y mae'n ymdrin â dull hollol newydd o fynegi ei hunan.*

Mae'r peintiad ar gefn y cynfas, *O'r Efail*, yn ategu'r cydberthynas rhwng y tymhorau. Mae'r darlun hwn yn dangos delfryd o ardd llawn blodau a glaswellt gyda pherllan y tu hwnt iddi, wedi ei hamddiffyn gan gylch o gatiau a rhwystrau. Yn ôl pob golwg, roedd Nash yn bwriadu i'r ddau gael eu gweld. Rhoddodd y ddau mewn ffrâm dro fel y gellid eu cyfnewid, ac roedd y ddau i'w gweld yn orffenedig (roedd y naill wedi'i gyflwyno gan Nash 'for Dorothy' a dewiswyd y llall ar gyfer llyfr Read yn ystod oes Nash). Mae'r berthynas rhwng y ddau yn dra diddorol: hydref yw'r naill, yn gyfriniol ac awgrymog; a'r gwanwyn yw'r llall, yn ffres ac yn syml.

Y darlun a brynwyd gyda *Cân Ffarwel* oedd *Y Gwerthwr Rygiau, Tréboul*, sef un o beintiadau mwyaf adnabyddus Christopher Wood. Cafodd y darn ei arddangos mewn arddangosfa oedd yn edrych yn ôl ar fywyd a gwaith Wood yn Orielau Burlington ym 1938, cafodd ei gynnwys yng nghatalog cyflawn Eric Newton o'i waith (rhif 444) a benthycodd John a Sheila'r darn i sawl arddangosfa'n ddiweddarach.[22] Cafodd ei gynnwys ym mywgraffiad Richard Ingleby o Wood ac mae'r darn ar gael yn eang ar ffurf poster.

Er ei fod yn arlunydd unigolyddol iawn, Christopher Wood oedd un o arloeswyr Moderniaeth ym Mhrydain. Roedd wedi ymdrwytho ym myd celf Paris yn y 1920au a daeth yn aelod o'r Gymdeithas 7&5. Cafodd Picasso a Cocteau ddylanwad arbennig arno, ond gwnaeth rymuster y mynegiant naïf y daeth ar ei draws yng ngwaith le Douanier Rousseau, Cedric Morris ac yn ddiweddarach Alfred Wallis argraff arno hefyd.

danger of death. A curled, blowing leaf seems to draw grey clouds down across the last remaining blueness in the sky. The composition follows Botticelli's *The Birth of Venus* (Galleria degli Uffizi, Florence), which has a similarly placed glade of trees, foreshore and sea. The toadstool stands in for Venus and dead leaves for other figures – the one on the left flying like Botticelli's personification of the wind. There is a reference too to Botticelli's *Primavera* (Galleria degli Uffizi), in which the Three Graces match perfectly the three curled leaves on their tips and Venus is dressed in red and white like Nash's toadstool. These references to Botticelli's mythic paintings of the transition of the seasons seem to underline that this was Nash's theme too. In his Surrealist vision, though, the objects are arranged impossibly. Margot Eastes wrote in *Paul Nash, 1889-1946* (1973):

> *In the painting we are presented with three devices which were to be constantly employed by Nash in later paintings – the magnification of the 'Natural Object', the dual or triple scale and the dual horizon. The surprising thing about* Swan Song *is the complete mastery with which an entirely new mode of expression is handled.*

The inter-relatedness of the seasons is re-iterated by the painting on the rear of the canvas, *From the Smithy*, an idyllic image of a garden with an orchard beyond, protected by a ring of gates and hurdles, full of blossom and new grass. It seems that both were intended to be seen: they were put in a swivel frame which allowed them to be alternated and both appeared finished (one was inscribed by Nash 'for Dorothy' while the other was chosen for Read's book in Nash's lifetime). The relation between the two is fascinating: one is autumn, mystical and allusive; the other is spring, fresh and simple.

The picture purchased with *Swan Song* was Christopher Wood's *The Rug Seller, Tréboul*, one of Wood's best-known paintings. In 1938 it was shown at his posthumous exhibition at the Burlington Galleries and included in Eric Newton's complete catalogue of his work (no 444). Later, it was loaned by John and Sheila to several exhibitions.[22] It was illustrated in Richard Ingleby's biography of Wood and is widely available as a poster.

Yn y 1920au diweddar, cyngorhorodd Cedric Morris i Wood fynd i chwilio am bentref pysgota Tréboul yn Llydaw. Fel St Ives a Bankshead yn Cumbria, lle roedd Wood wedi peintio o'r blaen, daeth y lleoliad newydd â ffrwydrad o greadigrwydd i'w waith. Yn Tréboul y creodd ei beintiadau mwyaf grymus. (Dywedodd fod y Llydawyr 'yn gwneud i ddyn gredu mewn Paradwys.') Aeth yno am y tro cyntaf yn haf 1929 a chafodd ei gyffroi'n llwyr gan ba mor syml oedd y gymuned pysgota ochr yn ochr â dirgelion ei thirwedd arw a'r môr hollbresennol. Aeth yn ôl i'r pentref ym Mehefin a Gorffennaf 1930 am ei gyfnod toreithiog olaf – ei '*swan song*' go iawn. Cwblhaodd ddeugain o beintiadau mewn dau fis. Ar 21 Awst 1930 cafodd ei ladd dan olwynion trên yng ngorsaf Salisbury. Roedd wedi syrthio neu wedi neidio oddi ar y platfform yn ei ddryswch meddwl ar ôl bod yn gaeth i opiwm am flynyddoedd mawr. Roedd yn naw ar hugain oed.

Peintiodd *Y Gwerthwr Rygiau* yn haf 1930 ac mae iddo holl swyn ac egni'r cyfnod anhygoel hwn yng ngwaith Wood. Fel llawer o'i beintiadau, mae'n troedio'r rhwng y cyfarwydd a'r dirgel, y cartrefol a'r estron, ac yn ei ddal trwy'r ffigyrau a'r olygfa. Ar y dde mae sgwâr hanner caeëdig o amgylch croes y pentref, wedi'i gau gan dŷ Llydewig nodweddiadol o gadarn o rendrad a gwenithfaen. Mae lôn yn arwain tua'r pellter ac islaw mae meindwr eglwys ar lan y dŵr, rhywbeth beintiodd Wood dro ar ôl tro, ond y tro hwn mae ysgwydd y tir sy'n disgyn tua'r môr yn ei guddio bron. Uwchben, mae'r clwstwr tywyll bygythiol a phigog o binwydd yn rhoi atalnod llawn i'r darlun. Mae Wood yn defnyddio darnau gwastad o liw i ddangos wynebau solet. Mae'n cadw'r patrymau ar gyfer y wal rythmig sy'n martsio tua'r pellter, y bowlen o geirios ar y bwrdd, ac wrth gwrs y rygiau egsotig am y masnachwr o Ogledd Affrica sydd wrth galon y cyfansoddiad.

Ychydig o gyfoeswyr Wood oedd yn cynnwys pobl yn eu tirluniau, ond daeth Wood o hyd i ffordd o gyfuno idiomau peintio tirlun a pheintio ffigyrau.[23] Ymddangosai pobl yn ei dirluniau'n aml, a hynny mewn ymgais i feistroli uniongyrchedd diniwed ac fel ffordd o leisio'r ddeialog rhwng dyn a natur gan ragfynegi diddordebau tebyg y Neo-Ramantwyr. Yn y darlun hwn, mae'r gwerthwr rygiau Arabaidd yn dangos ei nwyddau i ddwy Lydawes yn y sgwâr. Mae pobl eraill yn gwylio'n llechwraidd – menyw yn y drws ac un arall yn ysgwyd dillad gwely o ffenestr ei llofft. Mae ôl Picasso ar bersbectif ar-i-fyny'r bwrdd, a'i fân fywyd llonydd yn awgrymu presenoldeb yr artist anweledig yn bwyta wrth ei waith.

Although a highly individual painter, Christopher Wood was one of the British pioneers of Modernism, having steeped himself in the Parisian art world in the 1920s and become a member of the 7&5 Society. He was influenced particularly by Picasso and Cocteau, but also by the forcefulness of naïve expression that he came across in le Douanier Rousseau, Cedric Morris and later Alfred Wallis.

In the late 1920s, Morris advised Wood to seek out the fishing village of Tréboul in Brittany. As at St Ives and Bankshead in Cumbria, where Wood had painted previously, the new place was to bring an explosion of creativity; but at Tréboul he achieved his most powerful paintings. (He said the Bretons, 'make one believe in Paradise.') He visited for the first time in the summer of 1929 and was profoundly excited by the simplicity of the fishing community alongside the mysteries of its rugged landscape and ever-present sea. He returned in June and July 1930 for what was to be his last great outpouring of work – truly a swan song. He completed forty paintings in two months. On 21 August he was killed under the wheels of a train in Salisbury station. He fell or jumped from the platform in a state of mental confusion brought on by years of opium addiction. He was aged twenty-nine.

The Rug Seller was painted in the summer of 1930, and has all the charm and vigour of this fantastic period of Wood's work. Like many of Wood's paintings it seeks out the divide between the familiar and the mysterious, the domestic and the foreign, capturing it through the figures and the view. On the right is the half-enclosed square around the village cross, closed off by a typically solid Breton house of render and granite. A lane leads towards the distance. Below this is the spire of the church on the water's edge that Wood painted again and again, almost hidden under the shoulder of the land as it falls towards the sea. Above, the threateningly dark and spiky mass of pines gives a full stop to the picture. Wood uses flat areas of colour to express surfaces with solidity. Pattern is reserved for the rhythmic wall that marches to the distance, the bowl of cherries on the table, and of course the exotic rugs thrown around the North African trader at the centre of the composition.

Christopher Wood (1901-1930),
Y Gwerthwr Rygiau, Tréboul, 1930, olew ar gerdyn, 60.5x81cm
Christopher Wood (1901-1930),
The Rug Seller, Tréboul, 1930, oil on card, 60.5x81cm

Wedi prynu'r gweithiau sylweddol hyn aeth cryn amser heibio cyn i John a Sheila ddechrau prynu'n rheolaidd eto.[24] Roedd eu hawydd i gael lluniau Modern ar gyfer tŷ modern wedi llywio'u dewisiadau, ond o'r 1950au ymlaen dechreuasant droi eu sylw at gelf Gymreig ac at weithiau ar destunau crefyddol – ar gyfer sefydliadau cyhoeddus yn bennaf (trafodir hyn isod). Fodd bynnag, wrth ddewis lluniau ar gyfer eu cartref roeddent yn awyddus i gael gweithiau oedd yn arbennig o berthnasol i hanes eu teulu hefyd, gan gynnwys printiau o Portland a lluniau o longau cwmni Gibbs a Morel. Ym 1956 prynodd y pâr lun dyfrlliw cain o waith Thomas Hornor, o tua 1816, oedd yn dangos yr olygfa o Drwyn Penarth cyn adeiladu unrhyw ddociau yng Nghaerdydd. Prynodd Sheila lun arall o Ddociau Caerdydd gan Lionel Walden, yn Sotheby's ym 1988 – a hynny, o safbwynt John, 'yn

Few of Wood's contemporaries as painters of landscapes included people in their work, but Wood found a way to merge the idioms of landscape and figure painting.[23] People appeared regularly in his landscapes, both as a statement of the child-like directness that he sought and as a means of expressing the dialogue between man and nature, prefiguring the similar concerns of the Neo-Romantics. In this painting, the Arab rug seller is showing his wares to a pair of Breton women in the square. Other people look on surreptitiously – a woman in a doorway and another shaking bedding from an upstairs window. Picasso's influence can be seen in the upturned perspective of the table, its miniature still life suggesting the presence of the unseen artist, eating as he worked unstoppably.

fyrbwyll braidd... i raddau helaeth oherwydd ei gynnwys'.[25] I ddefnyddio ymadrodd Whistler, '*nocturne*' oedd hwn, yn dangos locomotif yn dod i fyny'r cledrau tua'r gwyliwr heibio i gaban signalau llawn golau, gyda'i stêm yn cael ei dynnu i ffwrdd gan y gwynt. Ganed Walden yn Norwich, Connecticut, ym 1861 ond daeth dan ddylanwad yr Argraffiadwyr ym Mharis. Daeth i Gymru yn y 1890au ac arddangosodd ei waith yng Nghymdeithas Gelfyddyd Gain Caerdydd ym 1893. Mae gan yr Amgueddfa ac Oriel Genedlaethol ddau beintiad mawr ganddo ar destunau diwydiannol: un arall o ddociau Caerdydd ac un o *Gwaith Dur Dowlais, Caerdydd, Liw Nos*. Mae cyfansoddiad llun Dowlais yn debyg iawn i hwn, gyda goleuadau cryf yn dod trwy'r tywyllwch a thrên yn symud ar hyd y cledrau tuag at y gwyliwr, ond mae'r nos yn goch gyda gwawl y ffwrneisi, tra yn *Dociau Caerdydd* y prif liw yw lliw glas cyfoethog Whistleraidd. Mae peintiad cysylltiedig arall, *Les Docks de Cardiff* yn y Musée d'Orsay.

Enghraifft arall o waith oedd yn berthnasol i'r teulu oedd y darlun dyfrlliw gan Thomas Rowlandson a brynodd y pâr ym 1958. Darlun llawn cymeriad o gymuned y Methodistiaid, oedd ar gynnydd ar ddechrau'r bedwaredd ganrif ar bymtheg, oedd *Methodistiaid yn Dod Allan Fesul Un,* ac roedd yn dipyn o hynodbeth ar y pryd. Nid oes neb wedi dal golygfa o'r fath yn fwy effeithiol erioed. Roedd Rowlandson yn feistr ar ddychan cymdeithasol, ac mae'r lluniad yn llawn mân fanylion gwbl ddiymdrech am y rhes o bobl sy'n dod allan o'r capel cartrefol yr olwg, gyda meindwr yr eglwys yn codi'n awdurdodol o'u blaenau. Mae yna globen o fenyw sy'n gandryll gyda'i gŵr addfwyn, pâr ifanc gwritgoch yn eu dillad parch, hen ŵr a gwraig tawel, a'r gweinidog â'i lygaid gorffwyll. Yn y cyfamser, mae cŵn y dref, sydd wedi gadael llonydd i'r ieir sy'n pigo gerllaw, yn rhoi sylw digroeso iddyn nhw. Mae hwn a charicaturiau eraill o Fethodistiaid a brynodd John a Sheila yn dangos eu parodrwydd i edrych ar ei hunain â hiwmor.

Prynodd John a Sheila weithiau eraill fel adlewyrchiadau mwy difrifol o'u ffydd. Prynwyd y cyntaf o'r rhain yn Oriel Redfern yn Ebrill 1962 ac mae'n bosibl mai dyma un o'r pethau a ysbrydolodd gasgliad y Methodistiaid. Un o brintiau Georges Rouault o'i ddilyniant enwog pumdeg wyth darn, *y Miserere,* oedd hwn. Tri mis wedyn aeth Douglas Wollen yn ôl i Oriel Redfern i brynu dau brint arall ar gyfer menter y Methodistiaid.[26] Pabydd oedd

After these substantial purchases, it was some time before John and Sheila began to buy regularly.[24] Their choices had been led by the desire to have Modern pictures for a Modern house, but from the 1950s they began to turn their attention to Welsh art and to works on religious subjects for public institutions (discussed below). However, they were also keen to acquire works that had particular relevance to their family history, including some prints of Portland and pictures of ships of the Gibbs and Morel lines. A fine Thomas Hornor watercolour of around 1816 was bought in 1956 of the view from Penarth Head before any of the docks at Cardiff were built. Another work of Cardiff Docks, by Lionel Walden, was bought by Sheila at Sotheby's in 1988 – John felt 'somewhat impulsively ... largely on account of its subject matter.[25] To use Whistler's phrase, it was a 'nocturne', showing a locomotive coming up the tracks towards the viewer past a brightly lit signal box, its billowing steam tugged away by the wind. Walden was born in Norwich, Connecticut, in 1861 but became the proverbial American in Paris, where he was influenced by the Impressionists. He visited Wales in the 1890s and exhibited at the Cardiff Fine Art Society in 1893. The National Museum & Gallery has two large paintings on industrial subjects: another of Cardiff docks and one of *The Dowlais Steelworks, Cardiff, at Night*. The composition of the Dowlais picture is remarkably similar – with strong lights coming through the darkness and a train moving towards the viewer – though the night is red with the glow of furnaces, whilst in *Cardiff Docks* the dominant colour is a rich Whistlerian blue. A related painting, *Les Docks de Cardiff*, is in the Musée d'Orsay.

Another work of relevance to the family was a Thomas Rowlandson watercolour purchased in 1958, *Methodists Filing Out*. This was a characterful depiction of the growing community of Methodists in the early nineteenth century, then regarded as something of a curiosity. No one has ever captured such a scene more effectively. Rowlandson was a master of social satire, and the drawing is full of effortlessly described incidental detail about the train of people leaving the domestic-looking chapel, with the church steeple looming authoritatively ahead of them: there is an enormous woman furious with her meek husband, a rosy-cheeked young couple in their Sunday best, a docile, elderly husband and wife, and a mad-eyed minister. They receive unwelcome attention from the

Lionel Walden (1861-1933),
Dociau Caerdydd, dim dyddiad, tua 1893-7, olew ar gynfas, 43x73.9cm
Lionel Walden (1861-1933),
Cardiff Docks, undated, *c.*1893-7, oil on canvas, 43x73.9cm

Rouault a aned ym Mharis ym 1871. Fel un o arlunwyr Ffrengig mawr yr ugeinfed ganrif, cynhyrchodd waith ysbrydol dwfn a gweledol gyfoethog. Roedd yn un o lond dwrn o artistiaid o'r tu hwnt i Brydain y prynodd John a Sheila eu gwaith. (Ddeng mlynedd wedyn, prynodd John ddarlun arall gan Rouault gyda'i fab William mewn arwerthiant, ond acwatint lliw o'r gyfres ddwys *Cirque de l'Etoile Filante*, a gyhoeddwyd ym 1938 oedd hwnnw.)

Cafodd dilyniant *Miserere* ei greu rhwng 1914 ac 1922 i ddarlunio stori Crist, ond ni chafodd ei gyhoeddi tan 1943. Lluniodd yr artist y siapiau llinol du trwm gydag ysgythriad, wedyn acwatint â llaw. Roedd iddynt naws gynyrfiadol i gyd-fynd â dwyster y ffigyrau. Yn *Nous… c'est en sa mort que nous avons été baptisés* ('Fe'n bedyddiwyd trwy ei farwolaeth'), mae Crist yn sefyll yn hanner noeth mewn ystum sy'n dangos ei wendid a'i ymostyngiad gan ddwyn y Croesholiad i gof. Rhaid i Ioan Fedyddiwr ymestyn i godi ei law uwch pen Crist, ac mae'r Ysbryd

town dogs, which have left the nearby chickens pecking unmolested. This and other Methodist caricatures John and Sheila acquired showed their willingness to view themselves with humour.

John and Sheila purchased other works as more serious reflections on their faith. The first of these was bought at the Redfern in April 1962 and may have been one of the inspirations for the Methodist collection: one of Georges Rouault's prints from his famous sequence of fifty-eight, the *Miserere*. Three months later Douglas Wollen went back to the Redfern to buy two other prints for the Methodist venture.[26] Rouault was a Roman Catholic born in Paris in 1871 who produced work of profound spirituality and visual richness: one of the great French painters of the twentieth century. He was one of only a handful of non-British artists purchased by John and Sheila.

Thomas Rowlandson (1756-1827),
Methodistiaid yn dod Allan Fesul Un, dim dyddiad, dyfrlliw a phen ar bapur, 19x26.2cm
Thomas Rowlandson (1756-1827),
Methodists Filing Out, undated, watercolour and pen on paper, 19x26.2cm

Glân yn hofran uwchben ar ffurf colomen, sy'n ein hatgoffa am ddarlun Piero della Francesca o'r un testun. Mae'r olygfa yn digwydd mewn tirwedd dywyll a gwag o dan wybren llawn argoelion.

Roedd hi'n anarferol dewis testunau mor grefyddol i'r cartref; nid rhyw dirlun rhwydd i'w roi uwchben y bwrdd bwyta mo hwn, ond llun heriol o fedydd Crist. Roedd hyn yn dangos bod John a Sheila o ddifrif am gelf fel grym yn eu bywydau. Soniodd John am un o brintiau'r *Miserere* yng nghasgliad y Methodistiaid ym 1990. Mae ei sylwadau yn rhoi rhyw awgrym o'i deimladau am Rouault a gwerth myfyrio dros weithiau o'r fath:

> *Georges Rouault, Ufudd hyd Angau – dyma ddarlun du, du trwm, a beintiwyd mewn cyfnod pan oedd arlunwyr eraill Ffrainc yn peintio lluniau pert o ferched mewn ffrociau glas a phlant yn chwarae ar lethrau. Ond, na, mae Rouault wedi dangos astudiaeth ddu o*

(A decade later, John bought another Rouault with his son William at auction, this time a colour aquatint from the soulful series *Cirque de l'Etoile Filante,* published in 1938.)

The *Miserere* sequence was made between 1914 and 1922 to depict the story of Christ, but it was not issued until 1943. The strongly linear forms made out in dense black in etching and aquatint that was subsequently hand-worked by the artist had an emotive quality to match the pathos of the figures. In *Nous... c'est en sa mort que nous avons été baptisés* ('We were baptised with his death'), Christ is standing semi-naked in a pose of vulnerability and submission that has resonances of the Crucifixion. John the Baptist must stretch to raise his hand above Christ's head, while the Holy Spirit hovers above in the shape of a dove, recalling Piero della Francesca's painting of the same subject. The scene is played out in a dark and empty landscape under a portentous sky.

Georges Rouault (1871-1958),
Nous... c'est en sa mort que nous avons été baptisés,
ysgythriad ac acwatint ar bapur, 60x46cm

Georges Rouault (1871-1958),
Nous... c'est en sa mort que nous avons été baptisés,
etching and aquatint on paper, 60x46cm

Stanley Spencer (1891-1959),
Astudiaeth o Grist ar gefn Asyn, dim dyddiad, tua 1921,
pensil a golch ar bapur, 31.5x22.5cm

Stanley Spencer (1891-1959),
Study of Christ on a Donkey, undated, c.1921,
pencil and wash on paper, 31.5x22.5cm

> *Grist â'i freichiau ar led ar y groes. Cafodd ei eni yn ystod Rhyfel Ffrainc a Phrwsia a bu fyw trwy ddau ryfel wedyn, a rhyfel a thrueni oedd y neges roedd am ei mynegi....*

Roedd prynu *Astudiaeth o Grist ar gefn Asyn* gan Stanley Spencer ym 1973 yn tanlinellu ymhellach ddymuniad John a Sheila i fyfyrio dros weithiau crefyddol yng nghartref y teulu. Nid yw Spencer yn ffitio'n rhwydd i hanes celf yr ugeinfed ganrif ond roedd yn un o'r artistiaid Prydeinig mwyaf. Peintiodd olygfeydd o fywyd Crist drwy gydol ei yrfa, yn fwyaf nodedig yn ei gyfres o Grist yn y Diffeithwch a ddechreuodd ym 1939, a bu'n ystyried llunio capel cyfan ar destun y Dioddefaint. Byddai'n aml yn gosod ei destunau crefyddol mewn lleoliadau modern, fel yn

It was unusual to choose such strongly religious subjects to live with; this was not some easy landscape to put over the dining table, but a challenging picture of the baptism of Christ. It demonstrated John and Sheila's seriousness about art as a power in their lives. John talked about one of the *Miserere* prints in the Methodist collection in 1990. His comments give some indication of his feelings about Rouault and the value of contemplating such works:

> *Georges Rouault,* Obedient unto Death *– this is a black, heavy-black painting, painted at the time that other French painters were painting pretty pictures of ladies in blue dresses and children playing in the hillsides. But, no, Rouault has shown a black study of*

Atgyfodiad Cookham. Ond fel *Y Swper Olaf* o 1920, mae'r darlun hwn yn rhoi Crist mewn gwisg o'r cyfnod ac yn dangos defnydd streipiog dillad o'r Dwyrain Canol a daflodd y disgyblion yn llwybr Crist. Braslun oedd hwn ar gyfer y peintiad *Crist yn Dod i Jerwsalem* a wnaeth ym 1921, sydd yn Oriel Gelf Dinas Leeds erbyn hyn. Mae gwisg Crist wedi'i lunio'n ofalus yn y darlun. Ond yn yr un modd â sawl braslun arall gan Spencer, nid yw'n debyg i'r peintiad terfynol lle mae Crist ar ongl ychydig yn wahanol mewn cornel brysur ym mhentref Cookham gyda phlant ysgol fel disgyblion iddo'n taflu eu siacedi ysgol i lawr. Meddai Spencer ym 1937, 'Rwy'n hoffi bod yn gallu cyfuno awyrgylch Jerwsalem â "Belmont"' (y tŷ drws nesaf).[27] Soniodd John am y darlun hwn pan gafodd ei gynnwys yn yr arddangosfa *Yr Eglwys a'r Artist* yn Nhŷ Turner ym 1990:

> *Stanley Spencer oedd y mwyaf o'r artistiaid crefyddol modern. Mae'n dangos Crist yn dod ar gefn asyn i Jerwsalem. Mae'r llun yn crynhoi ei holl dangnefedd wrth iddo ddod i mewn. Mae'n gwybod bod Duw gydag ef ac eto'n gwybod ei fod yn mynd i'w farwolaeth.*

Darn arall ac iddo destun crefyddol, oedd darlun Syr Frank Brangwyn a brynodd John a Sheila ym 1990, *Sant Ffransis o Assisi*. Roedd Brangwyn yn blentyn hynod, yn fab i Gymro oedd yn gweithio fel pensaer yng Ngwlad Belg. Erbyn iddo gyrraedd ei arddegau roedd yn gweithio i William Morris, ac erbyn iddo droi'n ddeunaw oed roedd wedi cyfrannu ei waith cyntaf i'r Academi Frenhinol. Roedd yn adnabyddus iawn yng Nghymru yng nghanol yr ugeinfed ganrif, yn enwedig ar ôl gosod ei *Empire Panels* yng Nghanolfan Ddinesig Abertawe ym 1933, ac roedd tipyn o'i waith mewn orielau yng Nghymru. Cafodd ei urddo'n farchog ym 1941 fel un o artistiaid enwocaf Prydain. Yn y 1940au cynnar gwnaeth Brangwyn dros drigain o ddarluniau ar gyfer llyfr ar fywyd Sant Ffransis ond ni chafodd y llyfr ei gyhoeddi. Mae'r ddelwedd hon yn ei ddangos yn pregethu o ynys fechan o dan bont tra bod pysgotwr gyda'i rwyd a haid o belicanod yn tynnu pysgod o'r dŵr.

Wrth symud i Portland Close, rhoddodd John a Sheila sawl un o'u darnau pwysicaf i aelodau arall o'r teulu, gan gynnwys gweithiau gan Paul Nash a Christopher Wood. Ond yn ystod y blynyddoedd nesaf, aethant ati i brynu rhagor o ddarnau ar gyfer y tŷ newydd, gan ganolbwyntio ar luniau gan artistiaid o Gymru (a drafodir yn y bennod

> *Christ with his arms stretched out on the cross. He was born in the Franco-Prussian War and he lived through two wars afterwards, and war and pity were the message he wished to express....*

The purchase of Stanley Spencer's *Study of Christ on a Donkey* in 1973 further underlined John and Sheila's wish to contemplate religious works in the family home. Spencer does not fit easily into the art history of the twentieth century, yet was one of the greatest British artists. He painted scenes from the life of Christ throughout his career, most notably in his series of Christ in the wilderness started in 1939. He often placed his religious subjects in modern settings, as in his *Cookham Resurrection*, but like his *Last Supper* of 1920 this drawing puts Christ in period costume, and shows the striped Middle-Eastern fabric of the clothes thrown down in Christ's path by the disciples. The study was for the painting *Christ's Entry into Jerusalem* of 1921, now in Leeds City Art Gallery. Christ's robe is worked out carefully in the drawing. However, as with many of Spencer's studies, the sketch is not close to the final painting, in which Christ is seen at a slightly different angle in a busy corner of Cookham village, with schoolchildren as his disciples throwing down their blazers. Spencer said in 1937, 'I like being able to combine the two atmospheres of Jerusalem and "Belmont"' (the house next door)[27]. John spoke about this drawing when it was included in the exhibition *The Church and the Artist* at Turner House in 1990:

> *Stanley Spencer was the greatest of modern religious artists. It shows Christ riding on a donkey into Jerusalem. It sums up the whole of his serenity as he enters in. He knows that God is with him and yet he knows that he is going to his death.*

Another picture with a religious subject, bought in 1990, was a drawing by Sir Frank Brangwyn, *St Francis of Assisi*. Brangwyn was a child prodigy, the son of a Welsh architect in Belgium. By his teens he was working for William Morris and by eighteen had contributed his first picture to the Royal Academy. He was well-known in Wales in the mid-twentieth century, especially after the installation of his *Empire Panels* in Swansea Civic Centre in 1933, and was well-represented in Welsh galleries. He was knighted in 1941, at which time he was one of the most celebrated artists in Britain. In the early 1940s,

Syr Frank Brangwyn (1867-1956),
Sant Ffransis o Assisi, 1943, inc, golch a chreon ar bapur, 26x25.5cm

Sir Frank Brangwyn (1867-1956),
St Francis of Assisi, 1943, ink, wash and crayon on paper, 26x25.5cm

Norman Adams RA (g.1927),
Blodau Aderyn Paradwys a Chroeshoeliad, 1989, dyfrlliw dros bensil ar bapur, 102.2x65.5cm

Norman Adams RA (b. 1927),
Bird of Paradise Flowers and Crucifixion, 1989, watercolour over pencil on paper, 102.2x65.5cm

nesaf). Fodd bynnag, roedd un o'r gweithiau mwyaf diddorol a brynodd y pâr gan yr arlunydd cyfoes o Loegr, Norman Adams.

Cafodd Adams ei eni yn Walthamstow, Llundain, ym 1927. Astudiodd yn Ysgol Gelf Harrow a'r Coleg Brenhinol ac yn ddiweddarach daeth yn Geidwad ar Ysgolion yr Academi Frenhinol. Fel John, roedd wedi bod yn wrthwynebwr cydwybodol, ond cafwyd ei fod wedi dirmygu'r llys a chafodd ei garcharu yn Wormwood Scrubs. Efallai bod y profiad hwn wedi cadarnhau ei benderfyniad i gynrychioli'r gwirionedd yn ei lygaid ei hun, yn enwedig mewn perthynas â themâu crefyddol. Ysgrifennodd,

Nid propaganda yw fy nghelfyddyd i mi, ond rhaid iddi

Brangwyn made over sixty drawings for a book on the life of St Francis that was never published. This image shows Francis preaching from an islet below a bridge while a fisherman with his net and a group of pelicans haul up fish from the water.

At the time of their move to Portland Close, John and Sheila passed on several of the most important items in their home to other members of the family, including the Paul Nash and the Christopher Wood. They purchased additional works during the next few years for the new house, concentrating on pictures by Welsh artists. However, one of the most interesting of the works purchased was by the contemporary English painter Norman Adams.

fod yn ddwys ymwybodol, yn apelgar, yn llawn empathi, heb bregethu ond yn cyd-fynd â bywyd. Rwyf wedi ceisio ei gwneud yn hardd, yn ystyrlon ac yn onest. Dylai'r artist allu dal ei ben yn uchel yng ngŵydd offeiriaid mawr… a gallu dweud, 'Rwyf innau hefyd wedi ceisio gwneud synnwyr, bod yn gymorth, bod yn angenrheidiol.'[28]

Mae tirluniau dyfrlliw gweledigaethol Adams yn adnabyddus iawn, ond mae ei beintiadau crefyddol ymhlith ei luniau pwysicaf. Mae'n defnyddio lliwiau llachar a thoreth o wrthrychau a ffigyrau mewn haenau i greu cyfatebiaeth weledol o ogoniant ysbrydol. Gofynnodd John iddo wneud gwaith comisiwn yn ddiweddarach ar gyfer casgliad y Methodistiaid, ond prynodd *Blodau Aderyn Paradwys a Chroeshoeliad* o'r Academi Frenhinol ar gyfer Portland Close ym 1990. Gellir gweld ffigyrau eurgylchog Crist ar y groes a Mair islaw trwy len o flodau nadreddog. Roedd John a Sheila'n teimlo na ddylai Croeshoeliad fod yn gefndir mewn cartref, ond daeth Sheila i'r casgliad bod, 'y Croeshoeliad yn gefndir i'n bywydau ni beth bynnag' ac aeth y llun i hongian yn eu lolfa newydd.

Cawsant ddarlun Adams yn fuan ar ôl i John wella o ganser am y tro cyntaf. Roedd wedi bod yn ymadfer yn Madeira, lle roeddent wedi gweld llawer o flodau aderyn paradwys. Mae eu teimladau am y peintiad hwn yn dangos eu hagwedd gydol oes at weithiau celf fel pethau i fyfyrio drostynt a chadarnhad i fyw gydag ef yn hytrach na phethau i'w casglu: iddyn nhw, roedd y peth fel rhyw fath o ddiolchgarwch.

Adams was born in Walthamstow, London, in 1927. He studied at Harrow School of Art and the Royal College and later became Keeper of the Royal Academy Schools. Like John, he had been a Conscientious Objector; but he was found to be in contempt and was imprisoned in Wormwood Scrubs. This experience perhaps confirmed his determination to represent the truth as he saw it, particularly in relation to religious themes. He wrote,

I do not see my art as propaganda but it must be acutely aware, appealing, having empathy not preaching but going along with life. I have tried to make it beautiful, meaningful and truthful. The artist should be able to hold up his head in the presence of great priests … and be able to say, 'I too have tried to make sense, to be helpful, to be necessary.'[28]

Adams' visionary watercolour landscapes are well-known, but his religious paintings are among his most important. He uses luminous colours and profusions of layered objects and figures to make a visual parallel of spiritual glory. John was to approach him later to undertake a commission for the Methodist collection, but *Bird of Paradise Flowers and Crucifixion* was bought for Portland Close from the Royal Academy in 1990. The haloed figures of Christ on the cross and Mary below can be seen through a veil of snake-like flowers. John and Sheila were concerned that a Crucifixion should not be treated as a background in a home, but Sheila concluded, 'The Crucifixion is a background to our lives anyway.' They hung it in their new living room.

Adams' picture was acquired soon after John recovered from cancer for the first time. He had been recuperating in Madeira, where they had seen many bird of paradise flowers. Their feelings about this painting demonstrate their life-long approach to works of art as sources of contemplation and affirmation to be lived with, not objects to be collected: they considered it a kind of thanksgiving.

Casglu celf Gymreig

Cyn y 1950au prin oedd John a Sheila, fel bron pob casglwr celf arall ar y pryd, yn meddwl rhyw lawer am bosibiliadau celf Gymreig. Doedd yna ddim orielau celf Gymreig masnachol ac nid oedd fawr ddim cydnabyddiaeth gyhoeddus iddi. Roedd John a Sheila wedi bod yn prynu darnau yn Llundain, ond doedden nhw ddim yn gwybod rhyw lawer am yr artistiaid ar stepen eu drws. Fodd bynnag, roedd pethau'n dechrau newid, a thros yr hanner canrif nesaf daeth teulu'r Gibbs yn gefnogwyr ac yn hyrwyddwyr pwysig i gelf Gymreig, wrth brynu nid yn unig i'w cartref ond i aelodau eraill o'r teulu ac i gasgliadau cyhoeddus hefyd.

Roedd pethau'n dechrau newid yn y 1950au. Ffurfiwyd dau grŵp o artistiaid oedd yn helpu i sefydlu celf broffesiynol a blaengar yng Nghymru: Grŵp De Cymru (y Grŵp Cymreig yn ddiweddarach), a sefydlwyd ym 1948-9, a Grŵp 56, a gychwynnwyd ym 1956. Byddai John a Sheila'n gyfarwydd iawn â'r ail yn arbennig, diolch i'w cyfeillgarwch â Michael Edmonds, un o dri sefydlydd y Grŵp. At hynny, roedd Tŷ Turner, ger cartref y teulu ym Mhenarth, wedi dechrau dangos arddangosfeydd cyfnewidiol gan grwpiau celf ac artistiaid Cymreig unigol o 1952 ymlaen, a daeth Oriel Howard Roberts, a agorodd ym 1956, yn ganolbwynt ar gyfer rhai o artistiaid mwyaf diddorol Cymru.

Y gweithiau Cymreig cyntaf a ddaeth i feddiant John a Sheila oedd tirlun o ysgubor adfeiliedig ar Ynys Sgomer gan Ray Howard-Jones tua 1953, peintiad o'r Ceffyl Gwyn yn Uffington fel rhodd gan Michael Edmonds ym 1954, a cherflun gan Austin Wright ym 1956.

Cerflun efydd bach oedd *Dyn yn y Gwynt* (1955) Wright. Fe'i prynwyd o un o arddangosfeydd teithiol y Cyngor Prydeinig yng Nghaerdydd a chadwodd John y darn ar ei ddesg yn stydi Sea Roads. Cafodd Wright ei fagu yng Nghaerdydd yn yr un cyfnod â John a Sheila, ac roedd ef wedi bod yn wrthwynebwr cydwybodol hefyd. Dangosodd y Cyngor Prydeinig ei waith ochr yn ochr â cherflunwyr Prydeinig addawol eraill o'r cyfnod cyffrous hwn, fel Elizabeth Frink, Lynn Chadwick, Bernard Meadows a Kenneth Armitage. Flwyddyn yn ddiweddarach enillodd wobr yn Biennale Sao Paulo. Roedd ei gerflunwaith cynnar yn ffigurol, ac roedd ganddo ddiddordeb arbennig mewn pobl dan effaith y tywydd.

Welsh collecting

Until the 1950s, John and Sheila, like almost all art collectors at the time, gave little thought to the possibilities of Welsh art. With no commercial galleries yet open and little public recognition of the art of Wales, they had made their purchases in London and had no real awareness of the artists on their doorstep. However, things were beginning to change, and over the next half century the Gibbs family were to become significant supporters and promoters of Welsh art, buying not just for their own home but for other members of the family and public collections.

Among the changing circumstances in the 1950s were the formation of two artists' groups which were helping to establish professional and forward-thinking art in Wales. These were the South Wales Group (later the Welsh Group), founded in 1948-9, and the 56 Group, started in 1956. The latter in particular would have been well-known to John and Sheila through their friendship with Michael Edmonds, who was one of its three founders. In addition, Turner House, close to the family home in Penarth, began to show changing exhibitions by Welsh arts groups and individual artists from 1952 onwards, and the Howard Roberts Gallery, opened in 1956, became a focus for some of the most interesting artists associated with Wales.

The first Welsh works acquired by John and Sheila were a landscape of a ruined barn on Skomer Island by Ray Howard-Jones in around 1953, a painting of the White Horse at Uffington given to them by Michael Edmonds in 1954, and, in 1956, a sculpture by Austin Wright.

Wright's *Man in the Wind* (1955) was a small bronze bought from a British Council touring exhibition in Cardiff and kept on John's desk in the study at Sea Roads. Wright had grown up in Cardiff, an exact contemporary of John and Sheila, and he too had been a conscientious objector. The British Council showed his work alongside other rising British sculptors of an exciting period, such as Elizabeth

Austin Wright, (1911-1997)
Dyn yn y Gwynt, 1955, efydd â phatina, 28x12x8cm

Austin Wright (1911-1997),
Man in the Wind, 1955, patinated bronze, 28x12x8cm

Mae gan y ffigwr sy'n brwydro'n erbyn y gwynt gyda'i ben i lawr, ei freichiau'n dynn wrth ei ochrau a'i got wedi'i thynnu ar led, rai o'r gweddau a'r siapau ddaeth yn amlwg yn ffurfiau planhigion haniaethol diweddarach Wright.

Ar ôl sawl blwyddyn heb brynu fawr ddim, prysurodd gweithgareddau casglu John a Sheila o'r 1950au diweddar ymlaen wrth i'w brwdfrydedd newydd dros gelf Gymreig afael ynddynt. Ym 1957 prynodd y ddau ddarlun dyfrlliw cynnar o ffermdy â gardd llawn tyfiant oedd yn nodweddiadol o waith Bert Isaac, arlunydd a gwneuthurwr printiau oedd yn enedigol o Gaerdydd. Tua'r un adeg cawsant bâr o astudiaethau gouache a pheintiad olew gan Eric Malthouse.[29] Roedd Malthouse yn ddarlithydd yng Ngholeg Celf Caerdydd, a fe oedd trydydd cyd-sylfaenydd Grŵp 56 ynghyd ag Edmonds a David Tinker. Roedd y gweithiau gouache yn ymchwilio i haniaeth linellol nodedig Patrick Heron gan ddefnyddio ceiau pysgod St Ives fel ei destun, gyda lliw ffasedog, harmonig a llinellau bron fel lasŵau wedi'u taflu am y ffigyrau. Nod lled-addysgol oedd gan John a Sheila wrth brynu'r rhain sef dangos sut y gellid haniaethu ffurfiau o ffigyrau a gwrthrychau. Defnyddiodd Malthouse ddelweddaeth yr astudiaethau mewn lithograff ym mis Tachwedd 1956. Roedd e'n cydnabod bod ei allu i gymryd syniadau artistiaid fel rhai Heron i mewn mor rhwydd yn beryglus. Yn y catalog ar gyfer ei arddangosfa unigol ym 1959, ysgrifennodd Emyr Humphreys, 'Mae Malthouse yn dweud ei fod wedi alaru ar ei waith blaenorol ym 1950, ond roedd yn dal i deimlo bod angen iddo barhau i beintio, ac i ddod o hyd i'w ateb ei hun yng Nghymru, ymhell o arlunwyr eraill a allai ddylanwadu arno'n ormodol.'

Artist arall a gyfunodd edmygedd hirsefydlog John a Sheila at Foderniaeth â'u diddordeb newydd mewn celf Gymreig oedd Ceri Richards. Richards, o bosibl, oedd artist Cymreig mwyaf dawnus ei genhedlaeth. Cafodd ei fagu ym mhentref gwaith tunplat Dynfant ger Abertawe, lle cafodd ei drwytho yn niwylliant y capel. Aeth ymlaen wedyn i Goleg Celf Abertawe a'r Coleg Brenhinol. Roedd yn aelod dylanwadol o staff Coleg Celf Caerdydd yn ystod y Rhyfel, gan ddychwelyd wedyn i Lundain i ddysgu yn Chelsea. Ym 1962 prynodd Douglas Wollen gouache ar gyfer y casgliad Methodistaidd a chydag amser, cronnodd y casgliad hwnnw nifer dda o weithiau gan artistiaid Cymreig. Y flwyddyn wedyn prynodd John a Sheila lun dyfrlliw, i'w mab John, lun ystafell gyda ffigyrau ynddo o'r 1940au oedd hwn, a llun arall a brynwyd ganddynt yn ddiweddarach i'w mab William.

Frink, Lynn Chadwick, Bernard Meadows and Kenneth Armitage. A year later he won a prize at the Sao Paulo Biennale. His early sculpture was figurative, and he was interested particularly in people subjected to the elements. This figure straining into the wind with head bent down and arms clasped to his sides, his coat tugged open, has some of the textures and shapes of Wright's later abstracted plant forms.

After several years during which John and Sheila had acquired little, their collecting became more rapid from the late 1950s as their forward-thinking enthusiasm for Welsh art took hold. A characteristic early watercolour drawing of a farmhouse and overgrown garden by the Cardiff-born painter and printmaker Bert Isaac was purchased in 1957. At about the same time, they acquired a pair of gouache studies and an oil painting by Eric Malthouse.[29] Malthouse was a lecturer at Cardiff College of Art, and with Edmonds and David Tinker had founded the 56 Group. The gouaches showed him exploring the distinctive linear abstraction of Patrick Heron using the fish quays of St Ives as his subject, with faceted, harmonic colour and lines almost like lassoes thrown around the figures. John and Sheila bought them partly with the educational aim of showing how forms could be abstracted from figures and objects. The imagery from the studies was used by Malthouse in a lithograph in November 1956. The ease with which he could absorb the ideas of artists like Heron was a danger that he recognised. In the catalogue for his solo exhibition in 1959 Emyr Humphreys wrote, 'Malthouse states that in 1950 he became dissatisfied with his previous work, but still felt himself compelled to go on painting, and to find his own solution in Wales away from other painters who might have unduly influenced him.'

Another artist who combined John and Sheila's long-standing admiration for Modernism with their new interest in Welsh art was Ceri Richards. Perhaps the most talented Welsh artist of his generation, Richards had been brought up in the tinplate working village of Dunvant near Swansea, steeped in the culture of the local chapel, and had attended Swansea College of Art and the Royal College. He was an influential member of staff at Cardiff College of Art during the War, before returning to London to teach at Chelsea. In 1962, Douglas Wollen purchased a gouache for the

Bert Isaac (g. 1923), *Fferm Nagg, y Fenni*, 1957, inc a dyfrlliw ar bapur, 30x48cm
Bert Isaac (b. 1923), *Nagg's Farm, Abergavenny*, 1957, ink and watercolour on paper, 30x48cm

Roedd dylanwad Picasso a Matisse yn drwm ar waith Richards yn y cyfnod hwn – o ran ei destun a'i ddylunio egnïol a llyfn. Roedd y marciau'n llac ac yn afreal ac eto'n mynegi'n berffaith y ffurfiau roeddent yn eu disgrifio ac yn dal y gerddoriaeth a'r golau sy'n llenwi'r ystafell. Meddai Henry Moore am Richards, 'yn fwy na'r un arlunydd arall o'i gyfnod, roedd yn deall ffurf tri-dimenswn ac yn gwybod sut i'w fynegi ar wyneb gwastad'. Roedd y ddau'n enghreifftiau gwych o waith Richards yn yr arddull hwn. Mae llun eu mab John, *Ystafell gyda Ffigyrau* (1946) yn dangos un o ferched yr artist yn troi i ffwrdd oddi wrth y piano, lle mae ei cherddoriaeth ar agor o hyd, i wylio'r gath yn ymolchi ar y gadair nesaf ati. Mae hi mewn breuddwyd fyfyriol ac yn tynnu'r gwyliwr i mewn i'r freuddwyd. Mae'r artist wedi darlunio ei bysedd plethedig gyda rhwyddineb syfrdanol - cwlwm cadarn o ganolbwyntio sy'n pwysleisio'r ffaith eu bod wedi'u tynnu o allweddell y piano. Mae'r lliw llachar a llinellau rhythmig blew'r gath a seddi gwellt y cadeiriau yn rhoi gwefr fagnetig i'r llun. Rhoddwyd benthyg y gwaith i arddangosfa Cyngor y Celfyddydau oedd yn edrych yn ôl ar waith Ceri Richards ar ôl ei farwolaeth ym 1973.

Methodist collection, in which Welsh artists were to become well-represented. The next year, John and Sheila bought a watercolour for their son John. This and a later purchase for their son William were drawings of interiors with figures dating from the 1940s.

Richards' work at this period was deeply influenced by Picasso and Matisse in its subject matter and its flowing and energetic draughtsmanship. The marks were loose and unreal yet expressed shapes perfectly and captured the music and light which filled the interiors he described. Henry Moore said of Richards, 'More than any other painter of his time he understood three-dimensional form and knew how to express it on a flat surface'. Both of the drawings were superb examples of Richards' work in this vein. Their son John's picture, *Interior with Figures* of 1946, shows one of the artist's daughters turned away from the piano keyboard, where her music still lies open, to watch the cat cleaning itself on the chair next to her. She is in a dream of contemplation into which the viewer too is drawn. Her interlocked fingers are described with breathtaking fluency – a solid knot of

Eric Malthouse (1914-1997), di-deitl, dim dyddiad tua 1955, gouache ar bapur, 22.5x28.2cm
Eric Malthouse (1914-1997), untitled, undated *c.*1955, gouache on paper, 22.5x28.2cm

Prynodd y pâr eu gweithiau Cymreig nesaf o Oriel Zwemmer's yn Llundain ym 1965. Fel anrheg i'w mab William ar ei ben-blwydd yn un ar hugain oed, prynodd John a Sheila beintiad George Chapman o *Stryd ym Merthyr* a'r darlun oedd yn cyd-fynd ag ef. Roedd Chapman yn perthyn i grŵp arlunwyr Great Bardfield yn Essex, gyda John Nash ac Edward Bawden, ond roedd yn peintio yn arddull Euston Road yn null Sickert. Newidiodd ei waith yn llwyr ar ôl iddo ymweld â chymoedd y de am y tro cyntaf. Darganfu'r maes glo yn y 1940au, a disgrifiodd ei berthynas barhaus â'r dirwedd neilltuol hon fel 'carwriaeth fawr'. Cafodd ei waith peintio'i newid yn llwyr gan y ffrwydrad o greadigrwydd a ddaeth wedyn, yn debyg i brofiad Christopher Wood yn Tréboul. Roedd geometreg dieithr y strydoedd a'r tai ar y llethrau a lliwiau llwydaidd y palmentydd a'r adeiladau o dan wybren fygythiol yn ei gyffroi. Symudodd i Gymru a pharhau i beintio'r un testun nes iddo farw ym 1993. Roedd yn un o'r artistiaid Modernaidd a wnaeth peintio yn y Cymoedd yn dderbyniol i genhedlaeth iau. Mae'r peintiad o Ferthyr yn dal holl dryblith y strydoedd blith-drafflith yn nhref haearn gyntaf y byd gyda bythynnod y gweithwyr yn sefyll ochr yn ochr â chapeli, a'r ffigyrau aneglur fel ysbrydion yn symud trwy'r dirwedd.

concentration that emphasises their removal from the piano keys. The picture gains a magnetic charge from its vivid colour and the rhythmic lines that describe the cat's fur and the rush seats of the chairs.

A London gallery, Zwemmer's, was also the source of the next Welsh purchases in 1965, George Chapman's painting *Street in Merthyr* and the accompanying drawing, bought as a twenty-first-birthday present for their son William. Chapman had been part of the Great Bardfield group of painters in Essex, with John Nash and Edward Bawden, but painted in a Euston Road style derived from Sickert. His work was to experience a sea change following his first encounter with south Wales. He discovered the coalfield in the 1940s, and described his continuing relationship with this distinctive landscape as 'a love affair'. The explosion of creativity that followed radically changed his painting, and was not unlike Christopher Wood's experience in Tréboul. He moved to Wales and painted the same subject until his death in 1993, excited by the strange geometry of streets and houses in the hillsides and the subdued palette of pavements and buildings under lowering skies. He was

Ceri Richards (1903-1971),
Ystafell gyda Ffigyrau, 1946, inc a dyfrlliw ar bapur, 37.5x55cm
Ceri Richards (1903-1971),
Interior with Figures, 1946, ink and watercolour on paper, 37.5x55cm

Roedd peintiad Chapman yn perthyn i elfen arbennig o ddiddordebau John a Sheila wrth bortreadu bywyd diwydiannol a threfol y cymoedd. Dros y blynyddoedd, cafodd y lluniau gan artistiaid â chysylltiadau cryfion â Chymru eu hategu gan bortreadau eraill o destunau nodweddiadol Cymreig. Ym 1972 ysgrifennodd John at yr arlunydd Alan Lowndes wedi iddo weld llun o Gaerdydd yn ei arddangosfa yn Oriel Crane Calman yn Llundain. Arlunydd o Stockport oedd Lowndes oedd wedi ei ddysgu ei hun i beintio i raddau helaeth. Daeth yn adnabyddus o'r 1950au ymlaen am ei bortreadau syml a byw o drefi diwydiannol, maestrefi dosbarth gweithiol a bywyd liw nos. Roedd wedi arddangos ei waith ym Manceinion, Llundain ac Efrog Newydd, ac wedi dod yn rhan o gymuned celf St Ives am ddeng mlynedd ar ôl 1959. Roedd John yn magu diddordeb cynyddol yn hanes cwmni Morel a chymeriad Dociau Caerdydd, oedd yn pylu erbyn hynny, a gofynnodd yn betrus a fyddai Lowndes yn ystyried comisiwn:

one of the Modernist artists who legitimised painting in the Valleys for a younger generation. The painting of Merthyr captures the jumble of unplanned streets in the world's first iron town, workers' cottages cheek by jowl with chapels, blurred figures moving through the landscape like ghosts.

Chapman's painting belonged to a strain in John and Sheila's interests concerned with the depiction of industrial and urban life in south Wales. Over the years, pictures by artists strongly associated with Wales were complemented by other depictions of these distinctive Welsh subjects. In 1972 John wrote to the painter Alan Lowndes after seeing a picture of Cardiff in his exhibition at the Crane Calman Gallery in London. Lowndes was a largely self-taught painter from

George Chapman (1908-1993),
Stryd ym Merthyr, dim dyddiad, olew ar gynfas, 57.5x85cm

George Chapman (1908-1993),
Street in Merthyr, undated, oil on canvas, 57.5x85cm

> *Roedd gan fy nau dad-cu gysylltiadau mawr â Chaerdydd yn nyddiau ei thwf cynnar a hoffwn gael cofnod o swyddfa un ohonynt yn Sgwâr Mount Stuart, Dociau Caerdydd, a chartref y llall – sydd hefyd yn ardal y Dociau – ac o bosibl yr olygfa o'r swyddfa dros Ddociau Caerdydd a Phenarth. Petaech chi'n barod i ystyried hyn, gallem drafod telerau yn nes ymlaen. Well i mi ychwanegu nad oes gennyf ddim profiad blaenorol o berthynas o'r math hwn....*

Roedd Lowndes wrth ei fodd i dderbyn y cynnig. Roedd yng Nghaerdydd ddeufis yn ddiweddarach, ac ysgrifennodd yn fuan wedyn,

> *Rydw i eisoes wedi dechrau braslunio'r Brif Swyddfa yn Stuart St a hyd yn oed wedi taro i lawr nodiadau ar gyfer rhai eraill yn y cyffiniau. Wrth ddarlunio'r swyddfa, gwelais i ryw ddeg o bosibiliadau eraill o'r lle roeddwn i'n braslunio. Blynyddoedd yn ôl yn Stockport, gwnes i ddegau o beintiadau o bron â bod yr un man ar un gornel stryd, a chefais yr un teimlad eto. Yr hyn fyddai'n dda nawr (ac rwy'n siŵr o'i gael) yw sawl*

Stockport who became well-known from the 1950s for his straightforward and vivid depictions of industrial towns, working-class suburbs and night-life. He had exhibited in Manchester, London and New York, and had become part of the St Ives art community for a decade after 1959. John was becoming increasingly interested in the history of the Morel firm and the fading character of Cardiff Docks, and he asked tentatively whether Lowndes would consider a commission:

> *My two grandfathers were associated with Cardiff in the days of its early expansion, and I would like recorded the office of one in Mount Stuart Square, The Docks, Cardiff, and the home of the other – also in the Dock area – and possibly the view from the office over the Cardiff Docks and Penarth Head. If you would be prepared to consider this, we could discuss terms later. I may add I have had no previous experience of this type of relationship....*

Lowndes was delighted to take up the offer. He was in Cardiff two months later, and wrote shortly afterwards,

diwrnod da, tywyll, cymylog – fues i erioed yn arlunydd diwrnod braf, awyr las – neu bron a bod erioed.

Lluniodd John gytundeb i gael 'rhyw bedwar' o beintiadau a'r brasluniau rhagarweiniol am dâl hael. Roedd yn edmygu'r ffaith fod Lowndes wedi ymrwymo i beintio'n llawn-amser, er gwaethaf y peryglon ariannol. Roedd yn amyneddgar wrth i'r gwaith fynd yn ei flaen yn ysbeidiol, gyda bylchau bob hyn a hyn oherwydd iechyd gwael a phroblemau yfed Lowndes. Cafodd y peintiadau eu cwblhau flwyddyn yn ddiweddarach. Nid gwaith gorau Lowndes mohonynt i gyd, ond roedden nhw'n dangos ei deimladau at y lle di-lol a bywiog hwn. Soniodd am ei ddiddordeb newydd yng Nghaerdydd mewn cyfweliad yn yr *Observer*,

Yno roedd y dociau a'r strydoedd o dai bychain, wedyn y tai crandiach oedd yn eiddo i berchnogion a chapteiniaid y llongau ac roedd pawb o gwmpas yr un ardal. Roedd y cynllun hwn gymaint yn well na rhai heddiw. Doedden nhw ddim yn dai rhagorol ond roedd pawb yn adnabod pawb, roedd siopau a thafarndai yno, a nawr maen nhw'n codi hen flociau o fflatiau heb fawr o werth pensaernïol.[30]

Ysgrifennodd John am waith arall gan Lowndes a brynodd ar gyfer Cymdeithas Celfyddyd Gyfoes Cymru,

Mae'n cael ei gymharu â Lowry o hyd, ac yn fy marn i mae Alan Lowndes lawn cystal ag ef, er nad yw ei luniau'n mynd am brisiau mor uchel yn ystafelloedd arwerthu Llundain. Naïf? Diniwed? Fel plentyn? Does dim byd diniwed na thebyg i blentyn yng nghraffter Alan Lowndes. Mae ganddo lygad tra phrofiadol. Bu'n peintio'n ddiwyd ac yn llawn-amser a gwrthododd mynd i ddysgu er mwyn rhoi incwm diogel iddo'i hun. Peintiodd ryw ddeg llun yng Nghaerdydd, bron bob un o Butetown sydd wedi'i dymchwel erbyn hyn, ac mae testun y llun hwn yn ei wneud yn arbennig o bwysig i'n casgliad.[31]

Cafodd un darn olaf o ohebiaeth gan Lowndes ym 1977, pan ysgrifennodd i ddweud ei fod yn yr ysbyty'n dioddef o sirosis yr afu, 'Dim triniaeth, dim ond ymwrthod â phob math o Alcohol.' Aeth y teulu i'w weld yn Swydd Gaerloyw ar unwaith i brynu rhagor o'i weithiau. Bu farw Lowndes y flwyddyn wedyn.

Daeth John â'i wybodaeth am gelf Gymreig i Gymdeithas Celfyddyd Gyfoes Cymru. Bu'n gweithio dros Bwyllgor

I've already made a sketchy beginning of the Stuart St Head Office and even sketched notes for others around. Whilst doing the drawing for the office, I saw about ten possibilities from where I stood sketching. Years ago in Stockport, I did literally dozens of paintings from almost the same spot on one street corner, and I got the same feeling again. What I want now (and I'm sure I'll get) is some good, dull, overcast days – I never was a fine day, blue sky, painter – or hardly ever.

John drew up an agreement to have 'about four' paintings and the preliminary sketches for a generous fee. He was impressed that Lowndes had committed himself to painting full-time, despite the financial risks. He was tolerant as the work fitfully proceeded, interrupted by Lowndes' poor health and drinking problems. The paintings were completed a year later. Not all were Lowndes' best work, but they showed his feelings for this down-to-earth and lively place. He mentioned his new interest in Cardiff in an interview for the *Observer*,

There were the docks and the streets of small houses, then the posher houses that belonged to the owners and the sea captains and everybody was around in the same area. How much better planned all this was than today. They weren't wonderful houses but everybody knew everybody, there were shops and pubs, and now they're putting up blocks of flats which aren't very good architecturally anyway.[30]

John wrote about another Lowndes that he purchased for the Contemporary Art Society for Wales,

Invariably compared with Lowry, Alan Lowndes can stand up in my opinion to the comparison, although his pictures do not command prices of the same magnitude in the London salerooms. Naïve? Innocent? Child-like? But there is nothing innocent or child-like about Alan Lowndes' observation. He has a most experienced eye. He painted hard and full time and scorned to teach to give himself a secure income. He painted some ten pictures in Cardiff, nearly all of Bute Town now demolished and the subject matter of this picture gives it an added importance for our collection.[31]

There was one final piece of correspondence from Lowndes in 1977, when he wrote to say that he had been taken into hospital with cirrhosis of the liver, 'No

Alan Lowndes (1921-1978), *Dociau Caerdydd o Benarth*, 1973, olew ar gynfas, 49.3x75cm

Alan Lowndes (1921-1978), *Cardiff Docks from Penarth,* 1973, oil on canvas, 49.3x75cm

Alan Lowndes (1921-1978), *Pier Penarth*, 1973, olew ar gynfas, 49x59cm

Alan Lowndes (1921-1978), *Penarth Pier,* 1973, oil on canvas, 49x59cm

Gwaith y Gymdeithas o gyfnod cyn 1970 hyd ei farwolaeth ym 1996. Ym 1973 cafodd ei benodi'n brynwr y Gymdeithas am y flwyddyn. Er mai nod cyntaf sefydlu'r Gymdeithas ym 1937 oedd 'Prynu gweithiau celf a ddylai fod gan artistiaid *Cymreig* cyfoes yn bennaf', roedd yn well gan lawer o'r prynwyr ganolbwyntio ar artistiaid a chanddynt enw sicr yn Llundain o hyd, heb ystyried a oedd ganddynt gysylltiadau Cymreig. Ni phrynodd John ddim ond gweithiau gan artistiaid Cymreig neu weithiau oedd yn berthnasol iawn i Gymru. Y chwe gwaith a brynodd oedd tirlun nodweddiadol drwy ffenestr gan Leslie Moore, tri ffotograff o deuluoedd ar lan y môr gan David Hurn, golygfa o stryd yn Butetown gan Lowndes, tirlun o'r de gan Neil Murison, cerflun yn dwyn y teitl *Esgob* gan Frank Roper a pheintiad gan Jack Crabtree, *Achubwch y Pwll hwn*, 1973. Ysgrifennodd am ddarn Crabtree,

> *Roedd y darlun hwn mewn arddangosfa yn Oriel a dyma'r tro cyntaf i mi weld gwaith Jack Crabtree. Fe'i prynais ar y Diwrnod Agoriadol ychydig funudau ar ôl ei weld – cyn i neb arall gael y cyfle. Mae'n llawn dychymyg a symbolaeth sy'n cyfleu trasiedi a gobaith maes glo Cymru. Cafodd ei greu gyda chywreinrwydd sydd bron â bod yn Gyn-Raphaëlaidd. Mae'n debyg bod presenoldeb y llun hwn yng nghasgliad Cymdeithas Celfyddyd Gyfoes Cymru wedi dylanwadu ar benderfyniad y Bwrdd Glo i gomisiynu Jack Crabtree i dreulio blwyddyn gron yn cofnodi Maes Glo Cymru.*[32]

Roedd comisiwn y Bwrdd Glo Cenedlaethol yn garreg filltir o ran dehongli diwydiant glo Cymru drwy gelf. Cafodd Crabtree ei eni yn Rochdale ym 1938 a'i addysgu yng Ngholeg Celf St Martin's ac Ysgolion yr Academi Frenhinol. Roedd newydd ddod i Gymru i ddysgu yng Ngholeg Celf Casnewydd. Cafodd y darlun grymus hwn, sef dechrau taith Crabtree i ymchwilio i botensial y maes glo, ei arddangos yng Nghyfarfod Cyffredinol Blynyddol y Gymdeithas Celfyddyd Gyfoes ym Mehefin 1974. Roedd Crabtree'n ymwybodol iawn bod dyddiau'r diwydiant glo yng Nghymru yn dirwyn i ben, ac ysgrifennodd at Gadeirydd y Bwrdd Glo Cenedlaethol i gynnig gwneud comisiwn unigryw blwyddyn o hyd. Drwy lwc, y swyddog yn yr NCB a ystyriodd y mater oedd Bill Cleaver, Ysgrifennydd y Gymdeithas. Rhoddodd ei gefnogaeth i'r cais a dechreuodd Crabtree ar gomisiwn y mis Medi hwnnw. Creodd nifer fawr o weithiau a daethant yn gofnod hollbwysig o'r diwydiant, gan arwain at arddangosfa o'r enw *Wyneb yn Wyneb* a aeth ar daith o

cure except cut out Alcohol in any shape or form', and implied that money was short. The family visited him in Gloucestershire immediately to purchase some more works. Lowndes died the next year.

John brought his knowledge of Welsh art to the Contemporary Art Society for Wales, working for its Executive from before 1970 until his death in 1996. In 1973 he was appointed as its buyer for the year. Although the first founding aim of the Society in 1937 had been 'The purchase of works of art which should mainly be by contemporary *Welsh* artists', many buyers still preferred to focus their attentions on artists with secure London reputations, regardless of any Welsh connections. John bought only works by Welsh artists or with strong relevance to Wales. His six purchases were a characteristic landscape through a window by Leslie Moore, three photographs by David Hurn of families at the seaside, the Lowndes street scene in Bute Town, a south Wales landscape by Neil Murison, a sculpture titled *Bishop* by Frank Roper and a painting by Jack Crabtree, *Save this Pit.* He wrote about the Crabtree,

> *This picture was in an Oriel exhibition and it was the first time that I had seen a Jack Crabtree. I bought it on the Opening Day within a few minutes of seeing it – before anyone else had the chance of doing so. It's extremely imaginative and full of symbolism epitomising the tragedy and hope of the Welsh coalfield and executed with almost Pre-Raphaelite delicacy. The presence of this picture in the Contemporary Art Society for Wales collection must have influenced the Coal Board's decision to commission Jack Crabtree to work for a whole year on recording the Welsh Coalfield.*[32]

The National Coal Board commission was to be a landmark in artistic interpretation of the Welsh coal industry. Born in Rochdale in 1938 and educated at St Martin's College of Art and the Royal Academy Schools, Crabtree had recently arrived in Wales to teach at Newport College of Art. This powerful painting, in which he began to explore the potential of the coalfield, was shown at the Contemporary Art Society AGM in June 1974. Desperately aware that the days of the coalfield were numbered, Crabtree wrote to the Chairman of the National Coal Board proposing a year-

Jack Crabtree (g. 1938),
Achubwch y Pwll hwn, 1973, olew ar fwrdd, Cymdeithas Celfyddyd Gyfoes Cymru, Oriel Gelf Glynn Vivian, Abertawe.
Jack Crabtree (b. 1938),
Save this Pit, 1973, oil on board, Contemporary Art Society for Wales, Glynn Vivian Art Gallery, Swansea.

gwmpas Cymru ac i'r Ruhr. Roedd *Achubwch y Pwll hwn* yn bortread symbylol o ddirywiad, digalondid a diffeithwch diwydiannol. Roedd yn dangos sut roedd sefyllfa newidiol y byd o ran ynni'n effeithio ar fywydau unigolion yng nghymunedau glofaol Cymru. Mae'n cynnwys hunanbortread, a'r artist yn syllu'n ôl dros foned y car, yn amddiffyn cau'r pwll. Mewn cyferbyniad, roedd y darluniau newydd yn gofnodion bywiog o weithgarwch pen y pwll neu'n astudiaethau coffaol o lowyr wrth eu gwaith yn dangos afluniad George Grosz a cheinder David Hockney. Glofa'r Tŵr yw'r unig bwll dwfn sy'n dal i weithio yng Nghymru heddiw, felly mae'n anhygoel meddwl bod Crabtree wedi ymweld â phedwardeg wyth o byllau glo gweithredol ar draws y wlad. Prynodd Glo Prydain nifer o'i weithiau yn ôl gan Gymdeithas Celfyddyd Gyfoes Cymru yn y 1990au.

Mae rhai o sylwadau eraill John am y gweithiau a brynodd ar ran Cymdeithas Celfyddyd Gyfoes Cymru yn rhoi cipolwg prin i ni ar ei ffordd o feddwl am luniau. Ef oedd y

long commission. The NCB official to consider the matter happened to be Bill Cleaver, who was Secretary of the Society. He supported the application and Crabtree began his year of painting that September. The enormous number of works completed became a vital record of the industry, and resulted in an exhibition titled *Face to Face* that toured around Wales and to the Ruhr. *Save this Pit* was an emotive evocation of industrial decline and desolation that showed the impact of the changing world situation in energy on individual lives in Welsh mining communities. It included a self-portrait, the artist staring back across the bonnet of the car, defending the pit closure. In contrast, the new paintings were lively records of activity at the pithhead or monumental studies of working miners with the distortion of George Grosz and the elegance of David Hockney. It seems inconceivable today, with Tower Colliery the only deep mine still operating in Wales, that Crabtree visited forty-eight working pits. Several of his

prynwr cyntaf i gyflwyno ffotograffau i'r casgliad, ac mae'r hyn y mae'n ei ddweud am waith David Hurn yn dangos ei fod yn dal i weld gwerth celf yn nhermau ei ystyr i'r gwyliwr yn fwy na dim:

> *Yn sicr gellir cynnwys ffotograffau mewn casgliad celf erbyn heddiw. Yn ogystal â bod yn gyfansoddiadau neis maen nhw'n rhoi sylwebaeth wiw ar y natur ddynol. Mae'r llun o'r criw ar eu gwyliau ar Draeth Aberafan yn dweud mwy am wir anghenion pobl na sawl gwerslyfr seicoleg. Nid dim ond ffoi rhag y gwynt ydyn ni ond oddi wrthym ni ein hunain – i golli'n hunain mewn torf – dim ond un ymdrochwr sy'n gallu goddef bod ar ei ben ei hun.*[33]

Yn negawdau olaf eu bywydau, canolbwyntiodd John a Sheila ar brynu gweithiau celf oedd yn gysylltiedig â Chymru. Roedd y rhain yn cynnwys dau waith arall gan John Piper oedd yn adlewyrchu ei gariad at dirwedd ac adeiladau Cymru. Gouache lliwgar a thrawiadol o Gastell Rhaglan ym 1980 oedd un o'r rhain. Ychwanegiad annisgwyl ym 1984 oedd peintiad gan yr artist mawr o Awstralia Syr Sidney Nolan. Roedd wedi bod yn byw yn The Rodd ger Llanandras ers wyth mlynedd, ac arhosodd yno am weddill ei oes. Y peintiad oedd *Burke a Chamel yn Gorffwys yn yr Anialwch,* o 1967. Ffigyrau hanesyddol sydd wedi dod yn sylfaen i chwedloniaeth genedlaethol Awstralia oedd yn mynd â bryd Nolan bob amser, yn fwyaf enwog Ned Kelly. Mae'r peintiad hwn yn perthyn i gyfres y dechreuodd arni ym 1950 ac a barhaodd yn y 1960au. Ysbrydoliaeth y gyfres oedd ymgais aflwyddiannus Burke a Wills i groesi Awstralia o'r gogledd i'r de. Cychwynnodd y daith ym 1860 gydag 19 o ddynion, 23 o geffylau a 26 o gamelod; dim ond un dyn o'r pedwar a oroesodd. Roedd hanes Burke ei hun yn arbennig o drist: gadawodd y gwersyll cychwyn yn Cooper's Creek gan ddweud y byddai yn ei ôl cyn pen tri mis neu ddim o gwbl. Daeth yn ôl cwta naw awr ar ôl i weddill y criw anobeithio a gadael. Bu farw o ludded wrth geisio dal i fyny â nhw. Mae'r darn yn dangos techneg idiosyncratig Nolan o frwsio a rhwbio olew ar bapur sidan gloyw. Yn yr enghraifft hon mae'n rhoi llymder i'r dirwedd ac ansawdd ansylweddol, lled dryloyw i gorff Burke, sydd wedi cael ei ddiberfeddu gan anifeiliaid gwyllt yn ôl pob golwg.

Mae'n syndod nad oedd unrhyw ddarnau gan David Jones yng nghasgliad John a Sheila yn y cyfnod cynnar. Roedd yn Fodernydd amlwg a, gyda Wood, Nash a Piper, yn aelod o'r

paintings were bought back from British Coal by the Contemporary Art Society for Wales in the 1990s.

Some of John's other comments on his Contemporary Art Society for Wales purchases give a rare insight into his thinking about pictures. He was the first buyer to acquire photographs for the collection, and his statement about the work of David Hurn shows that he still valued art primarily in terms of its meaning for the viewer:

> *Photographs can surely now be included in an art collection. In addition to being nice compositions they are a true commentary on human nature. The picture of the holiday group on Aberavon Beach tells us more about the real needs of people than many psychology text books. It isn't only the wind we need to get away from, but ourselves – to lose ourselves in a crowd – only one lone bather can bear to be alone.*[33]

In the last decades of their lives, art connected with Wales became the principal focus of John and Sheila's purchasing. They bought two more Pipers that reflected his passion for the landscape and buildings of Wales. One of these was a colourful and striking gouache of Raglan Castle of 1980. An unexpected addition was the purchase in 1984 of a painting by the great Australian artist Sir Sidney Nolan, who had been living in Wales for eight years, at The Rodd near Presteigne, where he remained for the rest of his life. The painting was *Burke and Camel Resting in the Desert,* dating from 1967. Nolan was perennially engaged by historical figures who had become the basis of national mythmaking in Australia, most famously Ned Kelly. This painting belongs to a series begun in 1950 and continued in the 1960s inspired by the ill-fated Australian expedition of Burke and Wills to cross Australia from north to south. They set off in 1860 with 19 men, 23 horses and 26 camels; only one of the four men who made the crossing survived. Burke's own story was especially poignant: he left the base camp at Cooper's Creek saying he would return within three months or not at all. He finally returned only nine hours after the rest of the expedition had given up hope and left. He died from exhaustion trying to catch up with them. The painting was done in Nolan's idiosyncratic technique of brushing and wiping oil on a shiny silk paper, in this instance lending a bleakness to the landscape and an ethereal, translucent quality to Burke's body, apparently eviscerated by wild animals.

John Piper (1903-1992),
Castell Rhaglan, 1980, gouache ar bapur, 55.5x77.9cm

John Piper (1903-1992),
Raglan Castle, 1980, gouache on paper, 55.5x77.9cm

Syr Sidney Nolan (1917-1992),
Burke a Chamel yn Gorffwys yn yr Anialwch, 1967, olew ar bapur sidan, 51.5x75.3cm

Sir Sidney Nolan (1917-1992),
Burke and Camel Resting in the Desert, 1967, oil on silk paper, 51.5x75.3cm

7&5 Society cyn y Rhyfel. Roedd hefyd yn artist enwog am ei ddelweddaeth Gristnogol ac yn rhywun roedd hunaniaeth Gymreig yn bwysig iddo. Ni phrynodd John a Sheila ddarn ganddo tan 1987. *Pleserlong* (wyneblun) oedd hwnnw, darn a brynodd y pâr i gymryd lle rhai o'r lluniau roedden nhw wedi eu rhoi i bobl eraill wrth symud o Sea Roads.[34] Mae'r peintiad yn gysylltiedig â gwyliau a dreuliodd Jones gyda'i rieni yn Portslade ger Brighton, ac mae'n dyddio o tua 1931-2. Byddai Jones yn aml yn peintio trwy ffenestri, gan greu tensiwn rhwng y tu mewn a'r tu allan, rhwng natur a'r ddynoliaeth – rhyngfyd – o bosibl wedi'i symbylu gan ei agoraffobia. Mae'r môr bron fel mur yn codi o flaen y ffenestr, ac mae yna elfen o arswyd; ond mae'r gwrthrychau ar y dŵr yn dangos ei fod yn encilio i'r pellter ac yn dychwelyd yr olygfa i swyn glan y môr ac ysbryd gwyliau. Ysgrifennodd Jones mewn nodyn i Jim Ede, oedd yn prynu ei luniau o'r 1920au ymlaen,

> *Byddaf i bob amser yn gweithio o ffenestr tŷ os oes modd. Rwy'n hoffi edrych allan ar y byd o safle gweddol gysgodol. Alla'i ddim peintio yn y gwynt, ac rwy'n hoffi teimlad tu-allan-tu-fewn, cynwysedig ond diderfyn ffenestri a drysau. Dylai dyn fod mewn tŷ; anifail ddylai fod mewn cae a dyna i gyd*[35]

I deulu'r Gibbs roedd y stemar olwyn yn y pellter, ei simnai wen a'i bwff o fwg coch wedi'u peintio gyda'r fath fyrder, yn eu hatgoffa o'r stemars Campbell oedd i'w gweld yn mynd yn ôl ac ymlaen o Bier Penarth i Weston-super-Mare ac Ilfracombe.

Eitem ddiweddar arall a ddaeth i'w meddiant yn hwyr, ond oedd yn bwysig i gelf Gymreig, oedd peintiad gan Shani Rhys James a brynodd y ddau ym 1994. Yn eironig ddigon, ei deitl oedd *Y Casglwr*. Er y gellir ystyried bod hwn yn perthyn yn fras i'r chwaeth Fodernaidd roedd John a Sheila yn ei chanlyn ers y 1940au, roedd hefyd yn dangos eu dymuniad i gadw i fyny â beth oedd yn gyfoes. Fel holl waith Rhys James, hunanbortread yw hwn. Mae ei phen i'w weld yn y darn o ddrych ar yr ochr, ymhlith llestri, pwmpen, llyfrau, jygiau a photiau – trugareddau bywyd wedi'u gosod o'r neilltu fel pethau ar gyfer peintio. Yma mae'n ei dangos ei hun fel yr arlunydd; ar adegau eraill mae'n sefyll yn lle unigolion a syniadau eraill. Cnewyllyn ei gweledigaeth yw traddodiad yr hunanbortread ers Rembrandt ac mae i'w pheintiadau natur anchwiliadwy a ddaw gyda hunan-fyfyrdod sy'n caniatáu i'r artist ddod yn Bawb: yr unigolyn ar ei ben ei hun gyda'i feddyliau ei hun. Mae fel

It is surprising that David Jones was not represented in John and Sheila's collection early on. He was a prominent Modernist and, with Wood, Nash and Piper, a member of the 7&5 Society before the War, an artist noted for his Christian imagery, and someone for whom Welsh identity was important. However it was not until 1987 that Jones's *Pleasure Steamer* (frontispiece) was bought to replace some of the pictures the couple had given away when they moved from Sea Roads.[34] The painting relates to holidays Jones spent with his parents at Portslade near Brighton, and dates from around 1931-2. Jones habitually painted through windows, creating tensions between inside and outside, nature and humanity – a between-world – perhaps stimulated by his agoraphobia. The sea seems almost like a wall rising up in front of the window, and there is an element of terror; but the objects on the water show that it recedes into the distance and return the scene to one of sea-side charm and holiday spirit. Jones wrote in some notes for Jim Ede:

> *I always work from the window of a house if it is at all possible. I like looking out on to the world from a reasonably sheltered position. I can't paint in the wind, and I like the indoors outdoors, contained yet limitless feeling of windows and doors. A man should be in a house; a beast should be in a field and all that*[35]

The Gibbs family enjoyed the similarity of the distant paddle steamer, with its white funnel and puff of red smoke painted with such brevity, to the Campbell's steamers that used to be seen regularly going from Penarth Pier to Weston-super-Mare and Ilfracombe.

Another late but important acquisition of Welsh art was a painting by Shani Rhys James, bought in 1994 (titled, ironically, *The Collector*). While this can be seen broadly to be within the Modernist taste that John and Sheila had pursued since the 1940s, it showed their wish to keep pace with the contemporary. Like all Rhys James's work it is a self-portrait, the head seen in the side-lined fragment of mirror amid dishes, a pumpkin, books, jugs and vases – the paraphernalia of a life set aside as objects for painting. She represents herself as the painter here; at other times she stands in for other persons and ideas. The kernel of her vision is the tradition of the self-portrait and the inscrutability that comes with self-contemplation,

Shani Rhys James (g. 1953), *Y Casglwr*, 1994, olew ar gynfas, 119.5x165.5cm
Shani Rhys James (b. 1953), *The Collector,* 1994, oil on canvas, 119.5x165.5cm

petai ei phen digorff hi'n un o'r pethau yn ei chasgliad, yn rhywbeth sy'n cael ei arddangos. Mae'r llun yn dal hanfod gwaith Rhys James. Mae hi wedi ennill Gwobr Agored Mostyn, Medal Aur yr Eisteddfod Genedlaethol, Gwobr Hunting, Gwobr Artist Gweledol y Flwyddyn y BBC ac yn 2003 Gwobr Peintio Jerwood. Mae'r olaf yn cydnabod ei dawn llythrennol fel 'peintiwr' – mae ei gwaith yn profi sut gall paent fod yn ddeunydd gweledol ac yn lledrith hud yr un pryd: fel olew'n troi'n gnawd ac yn ôl drachefn o flaen y llygaid. Mae'r llun yma'n defnyddio paent heb ei gymysgu o'r tiwb, gyda dwbiadau, strempiau a chrafiadau sy'n ymwrthod ag unrhyw ymgais i dwyllo'r llygad ac yn onest eu dyled i olew a lliw. Ymhlith pytion papur newydd John mae adolygiad maith gan Richard Cork yn clodfori'r Wobr Turner a'r Sioe Gelf Brydeinig, a lle blaenllaw Damien Hirst a Mark Wallinger ynddynt. Ysgrifennodd ei unig sylw'n fras ar draws y toriad, 'Diolch i'r Nefoedd am Shani Rhys James'.

allowing the artist to become Everyman, the individual alone with his or her thoughts. It is as though her disembodied head appears as one of the objects in her own collection, on display. The picture captures the essence of Rhys James's work literally as a 'painter' – concerned deeply with the manner in which paint can be simultaneously both visible material and magical illusion: the transubstantiation of oil to flesh and back again before the eyes. It uses paint unmixed, from the tube, with daubs, slicks and scratches that brook no simple trickery of the eye but are honest in their debt to oil and pigment. Among John's newspaper cuttings is a long review by Richard Cork extolling the current Turner Prize and British Art Show, both dominated by Damien Hirst and Mark Wallinger. He wrote his one comment large across the cutting, 'Thank Heavens for Shani Rhys James'.

Wrth brynu gweithiau Cymreig mae'n debyg bod John a Sheila'n ymwybodol o'r angen am gefnogi artistiaid ac orielau, ond yn y cyfnod hwn daethant yn nes at seicoleg y casglwr nag ar unrhyw adeg arall. Roedd ganddynt fwy o awydd i lenwi bylchau pwysig ac anaml iawn y bydden nhw'n prynu mwy nag un enghraifft ddiffiniol o waith artist penodol. Roedden nhw'n prynu lluniau oedd yn cyd-fynd â'i gilydd wrth greu casgliad pwysig o gelf Gymreig. Mae nodyn yn llawysgrifen John ar gerdyn o Oriel Martin Tinney yn hysbysebu arddangosfa gan Ernest Zobole ym 1994 yn lled-awgrymu hyn: 'William, ddylen ni gael rhywbeth gan Zobole?' Ac yn wir, prynodd y peintiad ar y cerdyn.

Zobole oedd un o artistiaid Cymreig mwyaf neilltuol yr ugeinfed ganrif. O'i beintiadau aeddfed cyntaf yn y 1950au, ei destun oedd Cwm Rhondda. Mae peintiadau diweddar fel *Peintiad am Dirwedd yng Nghwm Rhondda* (1994) yn canu am oleuadau ceir yn siglo, yr afon yn llifo a'r sêr yn troelli, oll yn dirgrynu o gwmpas safle llonydd yr artist a'i gi sy'n cysgu. Mae'n disgrifio teimladau Zobole am ei gartref, ei brofiad o weld, ac arallrwydd unrhyw unigolyn mewn perthynas â'r byd y tu allan. Nod ad-drefniad Zobole o realiti oedd cyffelybu ein ffyrdd ni o weld a synhwyro. Byddai'n pwysleisio symudiad: nid dim ond gan geir trwy dirweddau, ond gan yr arlunydd trwy ystafelloedd a strydoedd. Roedd yn cydnabod nad ydyn ni'n gweld y byd trwy bersbectif llinellol: 'y syniad o giplun o un safbwynt sy'n annaturiol, yn afreal'.

Ychwanegwyd llu o weithiau gan artistiaid Cymreig yn y 1990au. Yn eu plith roedd cerflun gan Jonah Jones o'r enw *Ras y Llanw* (1989) ar ôl y nofel gan Brenda Chamberlain. Roedd artistiaid eraill yn y casgliad yn cynnwys Colin Allen, Ivor Davies, Emrys Williams, Kyffin Williams, Jack Crabtree, Leslie Moore, Stan Jones a Falcon Hildred.

Parhaodd Sheila i brynu gweithiau gan artistiaid Cymreig ar ôl marwolaeth John ym 1996. Y darlun olaf a brynodd John, ac yntau'n gorwedd yn yr ysbyty am y tro olaf, oedd peintiad o rywun yn darllen papur newydd mewn llyfrgell gyhoeddus gan Will Roberts. Fe'i gwelodd ar gerdyn arddangosfa a phenderfynodd ef a'i fab William i'w brynu gyda'i gilydd.

In their Welsh purchasing, John and Sheila seem to have been conscious of the need to support artists and galleries, and that buying work was a way to maintain both. They knew also that by showing Welsh art in company with their outstanding Modern pictures they could lend it credibility and encourage others to collect. They came closer than at any other time to the psychology of the collector in their Welsh interests, wishing increasingly to fill important gaps in the collection and seldom acquiring more than one definitive example of a particular artist's work. A note in John's hand on a Martin Tinney Gallery card for an exhibition by Ernest Zobole in 1994 hints at this: 'William, Should we have a Zobole?' The painting on the card was duly purchased.

Zobole was one of the most distinctive Welsh artists of the twentieth century. From his first mature paintings in the 1950s, his subject was the Rhondda Valley. Late works like *Painting About a Rhondda Landscape* (1994) sing of the swinging lights of cars, the flow of the river and the spinning stars, all pulsating around the still point of the artist and his sleeping dog. It describes Zobole's feelings about home, his experience of seeing, and the otherness of any individual in relation to the outside world. Zobole's re-organisation of reality sought to parallel the ways in which we see and sense. He emphasised movement: not just of cars through landscapes, but of the painter through rooms and streets. He recognised that we do not experience the world in linear perspective: 'it is the single viewpoint snapshot idea that's unnatural, unreal'.

Works by Welsh artists were acquired rapidly in the 1990s. Among them were a sculpture by Jonah Jones called *Tide Race* (1989) after the novel by Brenda Chamberlain and works by Colin Allen, Ivor Davies, Emrys Williams, Kyffin Williams, Jack Crabtree, Leslie Moore, Stan Jones and Falcon Hildred.

Sheila continued purchasing work by Welsh artists after John's death in 1996. The final picture John acquired was a painting by one of the senior Welsh artists, Will Roberts. He saw it on an exhibition card as he lay in hospital for the last time, and he and his son William decided to buy it together.

Ernest Zobole (1927-1999),
Peintiad am Dirwedd yng Nghwm Rhondda, 1994, olew ar gynfas, 76x101cm

Ernest Zobole (1927-1999),
Painting about a Rhondda Landscape, 1994, oil on canvas, 76x101cm

Kathleen Hale (1898-2000),
'Orlando the Marmalade Cat: A Trip Abroad', tua 1939, creon gyda nodiadau mewn inc, 34.7x51.5cm

Kathleen Hale (1898-2000),
*Original drawings for Orlando the Marmalade Cat: A Trip Abroad, c.*1939, crayon with notes in ink, 34.7x51.5cm

Cyfarwyddo llygaid: celf i blant

I John a Sheila roedd prynu gweithiau celf yn rhan o'r broses o gyfoethogi eu byd a byd eu plant wrth iddynt dyfu, drwy greu rhywle lle gallent ddod yn gyfarwydd â defnyddio'u dychymyg gweledol. Roedd y gwaith bychan gan Richard Eurich a brynodd Sheila ym 1945 yn 'llun meithrinfa' yn ei llygaid hi. Bron na allai fod wedi dod o lyfr plant, mor berffaith a chyfareddol oedd ei fanylion ac mor swynol ei awyrgylch. Bu'n bresenoldeb cyson ar wal ystafell eu meibion William a James trwy gydol eu plentyndod, ac roedd yn ddarn oedd yn codi cwestiynau o hyd. Ai tirwedd go iawn oedd hon ynteu un dychmygol? Ai rhaffordd oedd honno'n cysylltu'r bryn â'r harbwr, a beth oedd hi'n ei gario? Ai clogwyni gwyn Dover oedd y rheina? I ble'r oedd y trên yn mynd? Roedd y simnai'n atgoffa Sheila o'r gwaith sment ym Mhenarth. Gyda'i wybren fygythiol a'i liwiau pinc, gwyrdd a glas cryf, roedd yn creu byd llawn manylion bychan a boddhaus y gallai plentyn grwydro iddo: ffigyrau wrth eu gwaith, wagenni rheilffordd hyfryd o arbennig, ceffyl a throl, dwy fuwch yn pori. Roedd i'r darn yma werth gydol oes. Yn wahanol i degan sy'n cael ei dorri neu ei roi o'r neilltu erbyn rhyw oedran penodol, neu lyfr sy'n mynd yn ôl ar y silff, gall llun aros yn bresennol, gan newid rywfaint ar ei ystyr efallai neu aros fel cord rhwng y dyfodol a'r gorffennol. Aeth John a Sheila ymlaen i brynu sawl gwaith celf arall ar gyfer eu plant a'u hwyrion: darnau o ansawdd oedd pob un â rhywbeth i ddifyrru'r plentyn a'r oedolyn.

Pan benderfynodd John a Sheila sefydlu ysgol fach yn yr hen ystafell biliards yn nhŷ mam John, St Maebourne, ym 1945, fe'i dodrefnwyd â phrintiau gan artistiaid Modernaidd. Byddai'r ysgol yn derbyn hyd at ddwsin o ddisgyblion a fyddai'n cael ei dysgu gan un ysgolfeistres oedd wedi ei hyfforddi yn null Froebel, gyda phwyslais cryf ar y celfyddydau. Treuliodd plant John a Sheila flwyddyn neu ddwy o leiaf yn yr ysgol. Roedd y waliau'n llawn printiau o gyfres arloesol School Prints Ltd o'r 1940au diweddar. Roedd llawer o artistiaid roedd John a Sheila yn ymddiddori ynddynt wedi cael comisiwn i wneud awtolithogfraffau, gan gynnwys L.S. Lowry, Henry Moore, Felix Kelly, Kenneth Rowntree a Julian Trevelyan. Roedd y delweddau'n hyfryd o fywiog a dymunol, yn addas iawn i blant, ac roeddent yn cynnwys 'ffrâm' *trompe l'oeuil* fel y gellid eu pinio ar y waliau. Yn ddiweddarach, ychwanegwyd printiau gan feistri

Accustoming eyes: art for children

For John and Sheila, acquiring works of art was part of the process of making a rich environment for themselves and their growing children, where they could become accustomed to using their visual imaginations. The tiny Richard Eurich bought in 1945 was thought of as a 'nursery picture'. It could almost have come out of a children's book, so perfect and intriguing was its detail and so delightful was its mood. Hung in the room of their sons William and James, it was a constant presence throughout their childhood, and one that could persist in prompting questions. Was it a real landscape or one made up? Was that an aerial rope-way linking the hill with the harbour, and what did it carry? Were those the White Cliffs of Dover? Where was the train going? The chimney reminded Sheila of the cement works at Penarth. With its stormy sky and intense pinks, greens and blues, it created a world that a child could wander into, full of tiny and rewarding details: figures at work, delightfully individual rail wagons, a horse and cart, a pair of grazing cows. The worth of this was life-long. Unlike a toy that is broken or put away by a certain age or a book that is no longer re-read, a picture can remain present, perhaps subtly changing in its meaning, or remaining as a chord between the future and the past. John and Sheila went on to buy many other works of art for their children and grandchildren: all of them works of quality that had something to engage both child and adult.

When they decided in 1945 to set up a small school in the former billiard room of John's mother's house, St Maebourne, it was furnished with prints by Modernist artists. The school took up to a dozen pupils, who were taught by a single schoolmistress trained in the Froebel method, with a strong emphasis on the arts. All their own children attended the school for a year or two at least. The walls were filled with some of the prints from the pioneering series published by School Prints Ltd in the late 1940s. Many artists in whom John and Sheila were interested had been commissioned to make auto-lithographs, including L.S. Lowry, Henry Moore, Felix Kelly, Kenneth Rowntree and Julian Trevelyan. They were delightfully spirited and enjoyable images well-directed towards children, and included a *trompe l'oeil* 'frame' so that they could be pinned to the walls. Later

Richard Eurich (1903-1992),
Y Trên Nwyddau, dim dyddiad, tua 1945, olew ar banel, 16.3x32.7cm

Richard Eurich (1903-1992),
The Goods Train, undated, *c.*1945, oil on panel, 16.3x32.7cm

Ewropeaidd fel Picasso, Matisse a Dufy. Gwnaed hyd at 4,000 o gopïau i gyd.[36] Roedd John yr un mor hapus i gael lithograffau oedd wedi'u masgynhyrchu fel y rhain, ag yr oedd i gael peintiadau gwreiddiol os oedd yn credu eu bod yn ddeniadol. Cadwodd y teulu llawer o'r Printiau i Ysgolion a'u pasio ymlaen i'r genhedlaeth nesaf o blant.

Yn union fel roedd y gwaith gan Eurich wedi bod yn bwysig i William a James, roedd peintiadau neu wrthrychau eraill yn cyflawni rôl debyg i holl blant ac wyrion y teulu. Roedd gan Benjamin, mab James, bedwar llun yn ei ystafell wrth iddo dyfu i fyny. Atgynyrchiadau oedd dau ohonynt: Print i Ysgolion gan Hans Tisdall (1910-1997) o'r enw *Caban y Pysgotwr*, a phoster o *Don Quijote* gan Picasso. Mae Benjamin yn cofio cysylltu agweddau o stori Quijote â delwedd Picasso yn ei ddychymyg pan oedd yn blentyn. Crwydrai i *Caban y Pysgotwr*, y gallai ei weld o'i wely. Iddo ef roedd delweddaeth swrreal y lliwiau llachar a'r caban, y coed, yr adar a'r cwch yn cysylltu â'i gilydd mewn ffordd gythryblus ac arallfydol.

Anrheg bedydd oedd un arall o'r lluniau yn ei ystafell wely, a daeth yn draddodiad gan John a Sheila rhoi gweithiau celf i ddathlu bedydd eu hwyrion i gyd. Roeddent yn cydnabod y gallai peintiad gwirioneddol dda wedi ei ddewis yn ofalus ddod yn rhan o fyd plentyn

prints were by Picasso, Matisse and Dufy. Up to 4,000 copies were made.[36] John was as happy to acquire mass-produced lithographs like these as original paintings if he thought they would be engaging. Many of the School Prints were kept by the family and passed on to the next generation of children.

Just as the Eurich had been important to William and James, other paintings or objects played similar roles for all the children and grandchildren in the family. James's own son Benjamin had four pictures in his room when he was growing up. Two were reproductions: a School Print by Hans Tisdall (1910-1997) called *The Fisherman's Hut* and a poster of Picasso's *Don Quijote*. Benjamin remembers as a child relating aspects of the Quijote story to the Picasso image in his imagination and wandering into *The Fisherman's Hut*, which he could see from his bed, finding the surreal imagery of bright colours and oddly associated hut, trees, birds and boat unsettling and other-worldly.

Another of the pictures in his bedroom was a Christening present, and it became the tradition for John and Sheila to give works of art to mark the Christenings of all their grandchildren. They recognised that a carefully selected painting of real quality could become part of an infant's world.

John Nash (1893-1977), di-deitl, dim dyddiad, dyfrlliw ar bapur, 43.5x52cm
John Nash (1893-1977), untitled, undated, watercolour on paper, 43.5x52cm

bach. Anrheg Benjamin oedd llun dyfrlliw gan John Nash, a brynwyd mewn arwerthiant tua 1973. Er ei fod yn llai amlwg o blentynnaidd na *Trên Nwyddau* Eurich, roedd yn arddull deniadol Nash - dyfrlliw brwsh sych, gyda'i linellau gweadog yn rhuthro ac yn cwympo ar hyd graen pethau ac yn rhoi teimlad meddal fel plu i'r coed a'r llwyni. Yn y llun roedd trên stêm yn rhuthro i dwnnel, ac roedd y darn cyfan yn llawn egni ac yn ymhyfrydu yng nghefn gwlad Prydain. Brawd iau Paul Nash oedd John. Fel ei frawd, bu'n Artist Rhyfel yn y ddau Ryfel Byd ac roedd wedi gweld lladdfeydd ofnadwy. Eto i gyd, roedd ei waith wedi cadw cynhesrwydd ac ysmaldod eithriadol, a gwnaeth ddau lithograff bywiog i'r gyfres Printiau i Ysgolion. Roedd ei ddull o bortreadu tirwedd Prydain yn datgelu'r ffurfiau oddi tani – sy'n weladwy yn ehangder mynyddig mawr y llun yma – a chwiwiau'r gweithgaredd dynol uwch ei phen: yn yr achos hwn, y waliau cerrig plith-draphlith ac adeiladwaith ecsentrig y polion telegraff. Eto, mae hwn yn llun y gall y dychymyg weithio arno. Gall y llygad ddilyn y wal gerrig fach sy'n amgylchynu hafn y rheilffordd i'r pellter; a bron na all y glust glywed chwiban yr injan wrth iddi gyflymu tua'r porth.

Benjamin's was a watercolour by John Nash, bought at auction in around 1973. Though it was less obviously child-like in representation than Eurich's *Goods Train*, it was in Nash's enticing style of dry-brush watercolour, the textured lines of which rush and tumble along the grain of things and lend a feathery softness to trees and bushes. It showed a steam train sweeping into a tunnel and was full of energy and pleasure. John Nash was the younger brother of Paul Nash who, like him, was a War Artist in both World Wars, witnessing terrible carnage. However, his work retained an extraordinary warmth and whimsy, and he did two lively lithographs for the School Prints series. His approach to the portrayal of the British countryside exposed the forms that lay beneath it, visible in the great hillside sweep of this picture, and the quirks of human activity that lay above: here the tumbling stone walls and the eccentric constructions of the telegraph poles. Again, this is a picture upon which the imagination can work. The eye can follow the little stone wall that rings the railway cutting, tapering into the distance; the ears can almost hear the engine's whistle as it speeds towards the portal.

Mary Fedden (g. 1915)
Merched mewn Tirwedd, 1974, olew ar gynfas, 75x90cm

Mary Fedden (b. 1915)
Girls in a Landscape, 1974, oil on canvas, 75x90cm

Anrheg bedydd arall, i Rebecca, chwaer Benjamin, oedd *Merched mewn Tirwedd* gan Mary Fedden, a brynwyd yn 1975. Fedden oedd un o hoff artistiaid John a Sheila, a phrynodd y pâr ryw bump o'i lluniau i gyd – mwy na'r un artist arall. Prynwyd y cyntaf yn Oriel Redfern ym 1956, sef y flwyddyn pan benodwyd Fedden yn diwtor yn y Coleg Celf Brenhinol – y fenyw gyntaf i ennill y swydd. Daeth yn adnabyddus am beintio lluniau bywyd llonydd telynegol ac esthetig gytbwys wedi'u gosod mewn tirweddau yn aml iawn, ac yn gyfoeth o liwiau a phatrymau. Roedd yn briod â'r arlunydd Julian Trevelyan, ac roedd John a Sheila wedi prynu rhai o'i weithiau ef hefyd. Roedd peintiad Rebecca'n dangos dau blentyn yn cario blodau haul ac yn eu cynnig dros fwrdd i rywun y mae ei law yn unig yn y golwg, yn ymestyn i'r llun i'w derbyn. Hwyrach bod John a Sheila'n gweld y darn yn arbennig o bositif gan fod yr holl ffigyrau yn y llun yn ddu, fel Rebecca ei hun. Mae yna ymdeimlad cryf o lonyddwch a chroeso gyda'r plant yn cyrraedd gyda'u hanrhegion, yn dod o wybren dywyll, â golau storm yn amlygu tŷ gwyn yn y pellter, i ffeindio ffrwythau ar y bwrdd a jwg o flodau llachar.

Another Christening present, for Benjamin's sister Rebecca, was Mary Fedden's *Girls in a Landscape*, purchased in 1975. Fedden was a favourite artist of John and Sheila, and they purchased some five of her pictures in all, more than any other artist. They bought their first at the Redfern Gallery in 1956, the same year in which Fedden became the first ever woman tutor at the Royal College of Art. She became known as a painter of lyrical and aesthetically balanced still lifes, often set in landscapes, rich in colour and pattern. She was married to the painter Julian Trevelyan, whose work was also acquired by John and Sheila. The painting for Rebecca showed two children carrying sunflowers and offering them across a table to someone whose hand only is seen, reaching into the picture to accept. It may have seemed a particular affirmation to John and Sheila, as all the figures in the picture were black, like Rebecca herself. There is a great sense of calmness and welcome in the arrival of the children with their gifts, coming out of a dark sky with storm light picking out a white house in the distance, to find fruit on the table and a jug of brightly coloured flowers.

Byddai John yn neidio ar y cyfle i brynu anrhegion bedydd addas pan fyddai rhywbeth addas yn codi mewn arwerthiant. Prynodd un o weithiau Alfred Wallis i'w wyres Emily – peintiad bach o Long Ryfel dri mast. Roedd arddull naïf Wallis yn berffaith addas i safbwynt plentyn. Roedd John a Sheila wedi ymddiddori yng ngwaith Wallis ers blynyddoedd, ac wedi iddynt gael un o'i weithiau o'r diwedd, mae'n rhyfedd eu bod wedi ei roi'n anrheg. Ym 1970 manteisiodd John ar y cyfle i brynu cyfres eithriadol o ddarluniau i'w ŵyr John - holl luniadau Kathleen Hale ar gyfer ei llyfr *Orlando the Marmalade Cat: A Trip Abroad*, a gyhoeddwyd gan Country Life ym 1939. Cafodd llyfrau Orlando, oedd wedi'u seilio ar gath Hale ei hun, eu cyhoeddi'n rheolaidd trwy gydol y 1940au ac fe'u gwerthwyd yn eang. Disgrifiodd ei bywyd hynod yn ei hunangofiant, *A Slender Reputation*, ym 1994, ychydig flynyddoedd cyn iddi farw'n 101 oed. Roedd hi'n gwbl gyfarwydd â chelf Ffrengig gyfoes a bu'n ffrind agos i Cedric Morris ac Arthur Lett-Haines ers cyfarfod a'r ddau ym Mharis ym 1923. Cyhoeddwyd cyfrol gyntaf *Orlando* ym 1938 Gwnaeth Hale ei lluniadau ar bapur ar gyfer y ddau lyfr cyntaf, wedyn bu'n gweithio'n uniongyrchol ar gerrig lithograffig. Mae i'r lluniadau hyn wead hyfryd o greon, ac ysgafnder lliw sy'n addas i'r broses lithograffig, gan greu'r argraff bod rhywun wedi tynnu llaw dros y wyneb yn hytrach nag arysgrifio arno. Mae llinell Hale yn llawn ac yn lluniaidd, gan roi tro yng ngodre sgertiau a phwynt ychwanegol i esgidiau, ac mae'n cyfleu siâp a natur flewog y cathod yn rymus. Mae ei phalet cyfyngedig yn hwyliog, ond mae iddo hefyd awgrym o gynnwrf. Mae'r delweddau'n llawn manylder i apelio at ddychymyg plentyn – cymeriadau amrywiol, cathod cudd, nwyddau wedi'u pentyrru mewn siopau, a'r holl elfennau arddulliol hynny sy'n gwneud i le deimlo'n estron.

Nid dim ond trwy roi lluniau o'u cwmpas roedd y plant a'r wyrion yn cael eu cyfarwyddo â chelf. Byddai John a Sheila'n ymhelaethu ar hyn drwy feithrin eu diddordeb mewn ffyrdd eraill, er enghraifft trwy rannu llyfrau ac ymweld ag orielau gyda'i gilydd. Mae Benjamin yn cofio'i dad-cu yn rhoi llyfrau iddo ar Velasquez, Picasso, El Greco a Goya, ac yna'n mynd ag ef i orielau i weld eu gwaith. Meddai, 'Roeddwn i'n hoffi Picasso, oherwydd y ffordd roedd e'n edrych ar bethau a Goya am ei fod yn dywyll a hunllefus, fel storïau tylwyth teg Grimm roeddwn i mor hoff ohonynt.' Yn wyth oed, cafodd Benjamin ei annog i fraslunio a pheintio gan ei dad-cu.

John jumped at suitable Christening gifts when they came up at auction. He purchased an Alfred Wallis for his granddaughter Emily – a little painting of a three-masted Man of War. Wallis' naïve style was perfectly suited to the viewpoint of a child and John and Sheila had been interested in his work for many years. In 1970 they took the opportunity to buy an extraordinary suite of drawings for their grandson John – Kathleen Hale's complete drawings for her book *Orlando the Marmalade Cat: A Trip Abroad*, published by Country Life in 1939. The Orlando books, based on Hale's own cat, came out regularly through the 1940s and sold widely. Her extraordinary life was described in her autobiography, *A Slender Reputation*, published in 1994, a few years before she died at the age of 101. She was thoroughly *au fait* with French contemporary art and had been a close friend of Cedric Morris and Arthur Lett-Haines since meeting them in Paris in 1923. The first Orlando volume was produced in 1938. Hale drew on paper for the first two books, after which she worked directly on the lithographic stones. The drawings have a delicate texture of crayon to match the lithographic process, evoking a sense that the surface has been stroked rather than inscribed. Her line is full and curvaceous, giving a flick to the bottom of skirts and an extra point to shoes, and tellingly capturing the form and furriness of the cats. Her limited palette is jolly but with an edge of excitability. The images are filled with detail to appeal to the child's imagination – diverse characters, hidden cats, goods piled up in shops, and all those differences that make a place seem foreign.

The children and grandchildren were not only accustomed to art by being given pictures to have around them, but by also by having their interest stimulated in other ways, for example by sharing books and paying visits to galleries together. Benjamin recalls being given books on Velasquez, Picasso, El Greco and Goya by his grandfather, and then going with him to galleries to see their work. He says, 'I liked Picasso because of the way he looked at things and Goya because he was dark and nightmarish, like the Grimm's fairytales I enjoyed.' At the age of eight, Benjamin was encouraged to draw and paint by his grandfather: they worked alongside one another on holiday, each making sketches to record the places they visited and comparing the results. John's drawings communicated his purpose in setting down an idea or experience, and often used a Modernist shorthand of

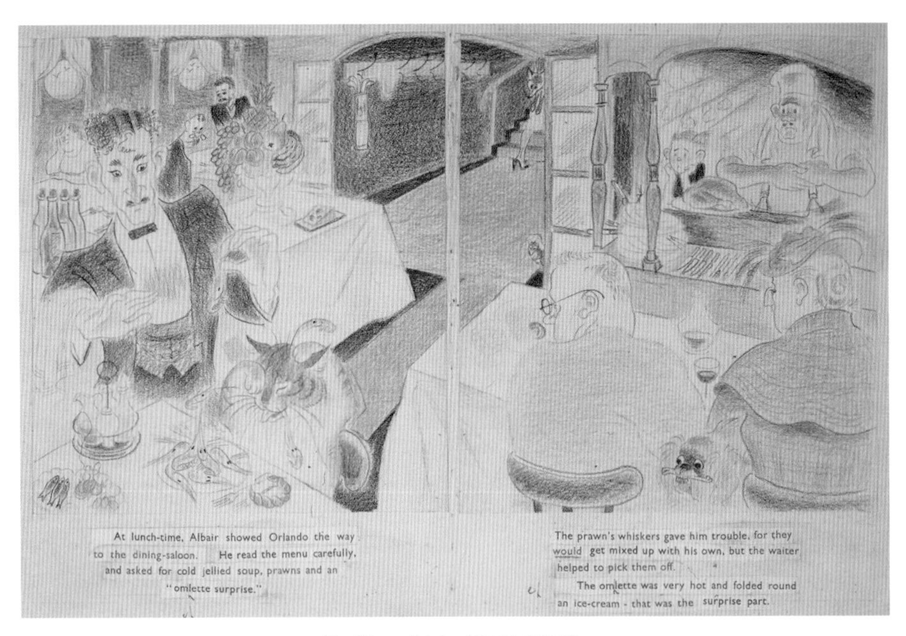

Kathleen Hale (1898-2000),
Darluniau gwreiddiol Orlando the Marmalade Cat: A Trip Abroad, tua 1939, creon gyda nodiadau mewn inc, 34.7x51.5cm

Kathleen Hale (1898-2000),
*Original drawings for Orlando the Marmalade Cat: A Trip Abroad, c.*1939, crayon with notes in ink, 34.7x51.5cm

Alfred Wallis (1855-1942),
Llong Dri-Mast, dim dyddiad, 31.2x36.6cm

Alfred Wallis (1855-1942),
Three Masts, undated, *c.* 1935-40, 31.2x36.6cm

Bruce Onobrakpeya (g. 1932),
Ymrithiwr yn Dawnsio, 1964, torlun leino ar bapur rhif 6 o gyhoeddiad o 10, 42.5x31cm
Bruce Onobrakpeya (b. 1932),
Dancing Masquerader, 1964, lino cut on paper number 6 from edition of 10, 42.5x31cm

Byddai'r ddau'n gweithio ochr yn ochr â'i gilydd ar eu gwyliau, yn gwneud brasluniau i gofnodi lleoedd ac yn cymharu'r canlyniadau. Roedd lluniadau John yn cyfleu ei ddiben wrth nodi syniad neu brofiad, a byddai'n aml yn defnyddio'r llaw-fer Fodernaidd o symleiddio a haniaethu yn hytrach na dangos sgiliau darlunio technegol. Gallai'r plant ymateb drwy eu darluniau eu hunain heb deimlo eu bod yn cael eu cyfarwyddo na bod neb yn gwneud yn well na nhw.

Byddai John a Sheila'n mynd i arddangosfeydd gyda'u teulu ac yn trafod y gweithiau a'r posibilrwydd o brynu ambell un gyda nhw. Aeth y teulu gyda'i gilydd i Ŵyl y Gymanwlad yng Nghaerdydd a phrynu print leino gan yr arlunydd a'r gwneuthurwr printiau o Nigeria, Bruce Onobrakpeya. Astudiaeth liwgar o ffigwr oedd *Ymrithiwr yn Dawnsio*, oedd yn cyfuno haniaeth y gorllewin â diddordeb Onobrakpeya yng nghelfyddydau'r llwythau. Roedd hyn yn dangos diddordeb cynyddol y teulu mewn datblygiad ac addysg

simplification and abstraction rather than exhibiting technical skill in representation. The children could respond in drawings of their own without feeling they were being either directed or out-performed.

John and Sheila would attend exhibitions with their family and discussions about potential purchases encouraged a kind of participation with the work on show. The family visited together the Commonwealth Festival in Cardiff, where they bought a lino-print by the Nigerian painter and printmaker Bruce Onobrakpeya. *Dancing Masquerader* was a colourful figure study that merged western abstraction with Onobrakpeya's interest in tribal arts. It marked the increasing interest of the family in overseas development and education, particularly in Africa. Local exhibitions at Turner House by the Welsh Group or by individual artists, which the family regularly visited together, were other sources of contemporary works.

tramor, yn enwedig yn Affrica. Ffynonellau da eraill ar gyfer gweithiau cyfoes oedd yr arddangosfeydd lleol yn Nhŷ Turner gan y Grŵp Cymreig neu artistiaid unigol, ac âi'r teulu i ymweld â'r rhain yn gyson .

Fel seicolegydd addysgol yn ogystal â rhywun oedd yn gwerthfawrogi celf, roedd John yn teimlo y gallai celf fod yn offeryn i helpu plant i ddeall sut i ddefnyddio'u llygaid a sut i farnu. Mewn blynyddoedd diweddarach, anogodd ei wyrion i ddewis darnau i'w prynu eu hunain, gan ymddiried yn eu galluoedd hyd yn oed pan oedden nhw'n ifanc iawn. Mae stori gan ei ŵyr Joseph, sydd wedi ei atgynhyrchu mewn atodiad i'r llyfr hwn, yn rhoi darlun personol iawn o agwedd John o safbwynt plentyn. Mae'n disgrifio cael mynd i Dŷ Turner ym Mhenarth i ddewis eitem yn anrheg bedydd iddo'i hun, pan oedd ond yn bump oed.

Roedd John a Sheila hefyd yn rhoi lluniau i oedolion yn y teulu, i nodi dathliadau pwysig neu i adlewyrchu eu diddordebau. Roedd nifer o'r rhain yn anrhegion hael ac yn weithiau pwysig. Ym 1965, manteisiodd John ar y cyfle i brynu gwaith cynnar gan Lucian Freud fel anrheg priodas i'w mab John a'i wraig Elizabeth. Roedd Sheila'n amau a oedd yn addas. Yn sicr, roedd yn anrheg anghonfensiynol o ran y testun, sef cyw iâr marw ar fwrdd, ond roedd harddwch y llun yn drech nag unrhyw amheuon. Ym 1965 roedd enw Freud eisoes wedi'i sefydlu ond roedd yn llai amlwg o lawer na'i statws heddiw fel y mwyaf o'r artistiaid Prydeinig byw, yn ôl rhai. Cafodd ei eni yn yr Almaen ym 1922, yn ŵyr i Sigmund Freud, a ffodd i Brydain gyda'i deulu pan ddaeth Hitler i rym ym 1933. Yn ystod y Rhyfel astudiodd gyda Cedric Morris ac Arthur Lett-Haines yn eu hysgol gelf yn Suffolk, ac mae dylanwad Morris i'w weld yn y ffordd unigryw a dwys roedd yn arsylwi ar bobl, anifeiliaid a phethau yn y cartref yn ei waith cynnar. Mae rhyw lonyddwch a difrifoldeb i *Cyw Iâr ar Fwrdd* sy'n dangos ei ddawn gynnar. Ond mae corfforoldeb y testun yn rhagfynegi ei beintiadau diweddarach o ffigyrau. Mae'n un o grŵp o ddarluniau a pheintiadau o greaduriaid marw a wnaeth rhwng 1943 a 1945 gyda'r un dadansoddi manwl, sydd bron yn dyrannu'r creadur. Ysgrifennodd Bruce Bernard am un o'r rhain, *Crychydd Marw* (1945),

> *Roedd ei bŵer i ganolbwyntio'n dyfnhau o hyd, gan droi'r crychydd yn rhywbeth tebyg i ffenics trasig. I mi dyma'r peintiad gwirioneddol hardd cyntaf a wnaeth Freud – gwyrth o ofal o ran trefniant ei batrymau*

As an educational psychologist as well as an art appreciator, John saw that art could be a tool to help children understand how to use their eyes and how to make judgements. In later years he encouraged his grandchildren to choose purchases, trusting their abilities even at a very young age. An account by his grandson Joseph, reproduced here as an appendix, gives an extraordinarily intimate sense of John's approach from a child's viewpoint. It describes being taken to Turner House in Penarth to choose a piece for his Christening present, when he was just five years old.

John and Sheila also gave pictures to adult members of their family to mark important celebrations or reflect their developing interests. Many of these were generous gifts of important works. In 1965 John took the opportunity to acquire an early Lucian Freud as a wedding present for their son John and his wife Elizabeth. Sheila had her doubts about its suitability. The subject matter of a dead chicken on a table made it an unorthodox gift, but any doubts were overridden by the beauty of the picture. In 1965, Freud's reputation was already established, but was far short of his standing today, when he is frequently described as the greatest living British artist. He was born in Germany in 1922, the grandson of Sigmund Freud, and emigrated with his family to Britain when Hitler took power in 1933. During the War he studied with Cedric Morris and Arthur Lett-Haines at their art school in Suffolk, and Morris's influence can be seen in the individuality and concentration with which he observed people, animals and household objects in his early work. *Chicken on a Table* has the qualities of stillness and solemnity that mark out his precocious talent, while the corporeality of the subject prefigures his later paintings. It belongs to a group of drawings and paintings of dead creatures made from 1943 to 1945 with the same highly detailed analysis, almost dissection. Bruce Bernard has written of one of these, *Dead Heron,*

> *His ever deepening power of concentration turned the heron into something like a tragic phoenix. I find it the first seriously beautiful painting that Freud achieved – a miracle of care in the organisation of its complex patterns, and also in his ability to let it breathe, despite its lifeless subject and strict definition. Freud could never paint or draw an animal, however long dead, without conveying a sense of its once personal life.*[37]

Lucian Freud (g. 1922)
Cyw Iâr ar Fwrdd, dim dyddiad, tua 1943-5, gouache, sialc a phensil ar bapur lliw, 35.3x53.5cm
Lucian Freud (b. 1922),
Chicken on a Table, undated, *c.* 1943-5, gouache, chalk and pencil on coloured paper, 35.3x53.5cm

> *cymhleth, a hefyd o ran ei allu i adael iddo anadlu, er gwaethaf ei destun difywyd a'i ddiffiniad manwl gywir. Ni allai Freud fyth beintio neu dynnu llun anifail, waeth faint o amser oedd ers iddo farw, heb gyfleu ymdeimlad o'i fywyd a fu gynt yn bersonol.*[37]

Prynodd *Padell Ffrio a Physgod Glas* gan William Scott, yn anrheg Nadolig i William ym 1980 wedi iddo ddangos diddordeb mawr yn y gweithiau Modernaidd oedd wedi bod yn sail i gasgliad y teulu. Mae parch cynyddol i Scott fel un o artistiaid haniaethol mwyaf blaenllaw Prydain yn y cyfnod wedi'r Rhyfel. Rhwng 1946 a 1956 bu'n dysgu yn Academi Caerfaddon, ond ym 1953 cyfarfu â Pollock, Rothko a de Kooning ymhlith eraill wrth ddarlithio yng Ngogledd America. Fe oedd cynrychiolydd Prydain yn Biennale Fenis ym 1958. Roedd ei hoffter mawr at wrthrychau syml bywyd pob dydd yn apelio at deulu'r Gibbs. Roedd padelli ffrio a bwyd yn destunau cyson, ac roeddent yn mynd yn fwyfwy haniaethol gydag amser. Wrth eu dewis, nid oedd yn gwneud datganiad am y gwrthrychau eu hunain ond yn hytrach yn dewis pa bynnag destun oedd wrth law. Dywedodd ym 1950,

William Scott's *Frying Pan and Blue Fish* was bought for William as a Christmas present in 1980 in response to his strong interest in the Modernist works that were the beginnings of the family collection. Scott is increasingly respected as one of Britain's leading post-War abstract artists. From 1946 to 1956 he taught at Bath Academy, but in 1953 he was a visiting lecturer in North America, where he met Pollock, Rothko and de Kooning among others. He represented Britain at the Venice Biennale in 1958. His close affinity with the simple objects of everyday life appealed to the Gibbs family. Frying pans and food were repeated subjects, becoming increasingly abstract as time went by. In choosing them he was not making a statement about the objects themselves so much as choosing the subject that was most readily available. He said in 1950,

> *During the last ten years I have aimed at expressing my ideas in as direct and simple a manner as possible, taking for my subjects things seen, which are common and ordinary, believing that the poetry of the subject will be in the painting of it.*[38]

William Scott (1913-1989),
Padell Ffrio a Physgod Glas, tua 1947, olew ar gynfas, 51.5x61.5cm
William Scott (1913-1989),
Frying Pan and Blue Fish, c.1947, oil on canvas, 51.5x61.5cm

> *Yn ystod y deng mlynedd diwethaf rydw wedi bod yn ceisio mynegi fy syniadau mewn ffordd mor uniongyrchol a syml â phosibl, a dewis fel testunau pethau rwy'n eu gweld, sy'n ddigon cyffredin, gan gredu y daw barddoniaeth y testun o'r ffordd y caiff ei beintio.*[38]

Mae'r peintiad hwn yn dyddio o 1947, pan gafodd ei arddangos yn un o arddangosfeydd teithiol y Cyngor Prydeinig[39]. Mae'n hyfryd o gytbwys yn ei liwiau melyn ocr cyfoethog sydd wedi'u hategu'n gynnil â chysgodion coch sy'n cyferbynnu'n glir â thywyllwch y badell ffrio ddu, lliw llwydlas y pysgod a gwynder yr wyau a'r powlenni. Mae rhimyn arian y bwrdd ar y gwaelod yn gwneud y cyfansoddiad cyfan yn gytbwys. O tua 1957 ymlaen aeth Scott ymhellach o lawer wrth dynnu delweddaeth hawdd ei hadnabod o'i beintiadau, a datblygodd liwiau cyfoethog oedd yn ddyledus iawn i'r Mynegiadwyr Americanaidd Haniaethol roedd wedi dod ar eu traws. Mae'r peintiad hwn ymhlith y goreuon o'i gyfnod fel artist bywyd llonydd.

Anogodd John ei blant i brynu gweithiau celf drostynt eu hunain. Wrth iddynt ddatblygu eu diddordeb mewn casglu, byddai'n aml mynd gyda nhw i arwerthiannau neu orielau i gael cymryd rhan yn hwyl y prynu. Un o

This painting dates from 1947, when it was shown by Scott in a British Council touring exhibition.[39]
It is beautifully balanced in its rich but subtly modulated tones of yellow ochre with red shadows, sharply set off by the darkness of the black frying pan, the grey-blue of the fish and the whiteness of the eggs and bowls. The sliver of the table edge at the bottom balances the whole composition. From about 1957 onwards, Scott went much further in removing recognisable imagery from his paintings, developing rich colouring that owed much to the American Abstract Expressionists he had met. This painting is one of the finest of his still-life period.

John encouraged his children to purchase works of art on their own account. As they developed their interests in collecting, he would often attend auctions or galleries with them and participate in the fun of purchasing. One of the most important objects of John's encouragement was *The Sphinx* by Edward Burra, purchased by William in 1986 for his new flat. This was a logical extension to the family's Modernist collection even though it was not for John and Sheila themselves. Burra was one of the most powerful

wrthrychau pwysicaf anogaeth John oedd *Y Sffincs* gan Edward Burra, a brynodd William ar gyfer ei fflat newydd ym 1986. Estyniad rhesymegol i gasgliad Modernaidd y teulu oedd hwn, er nad John a Sheila eu hunain oedd yn berchen arno. Roedd Burra ymhlith y grymusaf o'r artistiaid Prydeinig a fu'n ymwneud yn ffurfiol â'r mudiad Swrrealaidd ac roedd yn aelod o Unit One gyda Paul Nash. Cafwyd arddangosfa i edrych yn ôl ar ei waith yn Oriel y Tate ym 1973. Roedd Douglas Wollen wedi prynu ei waith *Crist wrth Bwll Bethesda* ar gyfer casgliad y Methodistiaid ym 1963, ac efallai i hyn helpu'r teulu i'w werthfawrogi. Roedd gan lawer o'i waith ddwyster a dieithrwch annymunol: milwyr, gangsteriaid neu bersonoliadau o ddrygioni oedd llawer o'i destunau nes iddo symud at dirluniau yn y 1970au. Mae *Y Sffincs* wedi'i ddyddio i 1962-3, ond efallai ei fod yn perthyn i'r 1920au. Un o luniau dyfrlliw mawr nodweddiadol Burra yw hwn, a wnaed yn aml trwy uno sawl darn o bapur i wneud un ddelwedd, gan ddefnyddio lliwiau llachar a delweddaeth swrreal. Mae'r sffincs ar y podiwm wedi'i gwneud o garreg yn ôl ei golwg - er bod ei chynffon yn chwipio mor fywiog. Mae ei hwyneb yn wastad fel sffincs Giza, a'i thrwyn wedi'i dorri ymaith. Mae'n gadarn ac yn wyliadwrus, ei bronnau wedi'u gwthio ymlaen, ac nid yw'r ffigyrau mewn mentyll duon sydd ym mhobman yn tarfu dim arni. Mae'r ffigyrau hyn yn dwyn i gof gweithiau Goya neu Bosch wrth ruthro i ffwrdd ar hyd ffyrdd hirbell. Yn y blaendir mae rhywbeth sy'n edrych fel ffigwr yn sgrechian â'i geg ar agor a'i freichiau i fyny, ond siwt rwber wag â gogls yw hwn fel rhywbeth o faes y gad, wedi'i doddi gan y gwres ac yn gwbl annynol.[40]

O wybod sut roedden nhw wedi ymgyfarwyddo â chelf o fore oes, mae'n ddiddorol na ddaeth yr un o blant John a Sheila yn artistiaid. Mae hyn yn tanlinellu'r ffordd y bu'r teulu'n dilyn celf nid fel gweithgaredd ar ei ben ei hun ond fel dimensiwn ychwanegol sy'n cyfoethogi bywyd. Cafodd pob un o'r plant yrfa mewn disgyblaeth wahanol - coedwigaeth, drama, mathemateg, ariannu elusennau a chynllunio. Fel eu rhieni, aeth pob un i ymddiddori mewn celf: wrth gefnogi artistiaid, prynu gweithiau a throsglwyddo'u hawch i'r genhedlaeth nesaf. Mae John a William yn dal i gefnogi sefydliadau celf: John Casgliad yr Eglwys Fethodistaidd o Gelf Gristnogol Fodern, a William Ymddiriedolaeth Gelf Brycheiniog.

Mae rhai o genhedlaeth yr wyrion wedi dod i chwarae rhan mwy fyth ym myd celf, a rhai ohonynt yn gweithio'n

British artists to become formally involved with the Surrealist movement and a member of Unit One. He was given a Tate retrospective in 1973. His *Christ at the Pool of Bethesda* had been acquired for the Methodist collection by Douglas Wollen in 1963, and this may have helped the family to appreciate him. Much of his work had an unpalatable intensity and strangeness: many of his subjects were soldiers, gangsters or personifications of evil. The Sphinx has been dated to 1962-3 but may belong to the 1920s. It is one of Burra's characteristic large watercolours, often made by joining several sheets of paper to make one image, using vivid colour and surreal imagery. The Sphinx on the podium appears to be stone – though her whipping tail is so lively that this seems hardly possible. She is flat-faced like the sphinx of Giza, her nose chopped off. She stands firm and alert, her breasts thrust forward, apparently undisturbed by the black-cloaked figures who are everywhere, reminiscent of Goya or Bosch, scurrying away up distant roads. In the foreground appears to be a screaming figure with open mouth and arms thrown up, but it is an empty rubber suit and goggles, like something seen on the field of battle, fused by heat and devoid of all humanity.[40]

Given the way in which they were accustomed to art from their earliest years, it is interesting that none of John and Sheila's children became artists. This underlines the way in which the family pursued art not as an exclusive activity, but as an enriching extra dimension of life. Each of the children made a career in a different discipline – forestry, drama, mathematics, charity finance and planning. Like their parents, they all became partakers of art: supporting artists, purchasing works and passing on their passion to the next generations. John and William continue to support art organisations: John the Methodist Church Collection of Modern Christian Art and William the Brecknock Art Trust.

Some of the grandchildren's generation have become yet more involved in the visual arts, and several are working with them professionally. John, the eldest grandson, teaches film in the London College of Printing, with a special interest in film's visual context. His brother Joseph has become a sculptor after studying stone carving in Zimbabwe and metal casting

Edward Burra (1905-1976),
Y Sffincs, efallai 1962-3, dyfrlliw ar bapur, 76.5x66cm

Edward Burra (1905-1976),
The Sphinx, possibly 1962-3, watercolour on paper, 76.5x66cm

broffesiynol yn y cyfryngau gweledol. Mae John, yr ŵyr hynaf, yn athro ffilm yng Ngholeg Printio Llundain a chanddo ddiddordeb arbennig yng nghyd-destun gweledol ffilmiau, ac mae e hefyd yn cefnogi casgliad y Methodistiaid. Mae ei frawd Joseph wedi dod yn gerflunydd ar ôl astudio cerfio cerrig yn Simbabwe a chastio metel yn Ghana. Mae un arall o'r ŵyrion, Susanna, yn therapydd celf.

I'w hwyres Abigail roedd dylanwad celf yn y cartref yn beth real ac arwyddocaol. Aeth ymlaen i astudio celf yn Central St Martin's ac yng Ngholeg Celf Ruskin. Yn wahanol i'w chyfoedion yn y coleg, cafodd ei denu at greu peintiadau i'w harddangos mewn cartrefi yn hytrach na chelf ar gyfer orielau gwag. Efallai ei bod hi'n cynrychioli'r holl wyrion o ran cael ei chyfoethogi gan ansawdd dieithr, aflonyddol llawer o'r lluniau llawn haenau o ystyr seicolegol roedd yn gyfarwydd â nhw wrth dyfu i fyny. Daeth *Y Cerrig yn Gweiddi* gan Armstrong a *Cân Ffarwel* Nash yn arbennig yn 'ffenestri i fyd arall' a ddangosodd iddi ddyfnder a gwerth posibl celf.

in Ghana. Another grandchild, Susanna, has become an art therapist.

Their granddaughter Abigail found the influence of art in the home significant when she studied art at Central St Martin's and the Ruskin School of Art. Unlike her contemporaries at college she was drawn to making paintings that could have a place within the home rather than art for the empty gallery. She is perhaps representative of all the grandchildren in being enriched, too, by the strange, disturbing quality of many of the pictures she knew as she grew up, with their layers of psychological meaning. Armstrong's *The Stones Cry Out* and Nash's *Swan Song* particularly became 'windows to another world' that showed her the potential depth and value of art.

Celf yn llygad y cyhoedd

Nid yw hyd a lled cyfraniad tawel John a Sheila at sicrhau bod celf ar gael yn gyhoeddus yn glir. Yn y mwyafrif o achosion roedd eu gwaith yn ddienw, a hyd yn oed heddiw mae'n bosibl na wyddon ni am lawer o'u gwaith. Rhoesant gelf yn llygad y cyhoedd, ond roedden nhw eu hunain yn ofalus i gadw allan ohono.

Er iddyn nhw ddechrau gwerthfawrogi celf yn eu cartref, doedd hi ddim yn hir cyn iddyn nhw ddechrau rhannu manteision celf ag eraill. Roedd John yn ymwybodol ei fod wedi'i fendithio ag iechyd da, ffydd, addysg a chyfoeth, ac un o'i amcanion oedd trosglwyddo ffrwyth ei ffortiwn. Roedd John a Sheila'n teimlo ei bod hi'n bwysig cefnogi celf, ynghyd â Methodistiaeth ac addysg. Roedd hyn yn safbwynt fwyfwy anarferol yn niwedd yr ugeinfed ganrif wrth i nawdd y wladwriaeth gymryd lle mentrau preifat ym maes y celfyddydau.

Ym 1958 cyflwynodd y pâr rodd ariannol ddienw i gomisiynu cerflun i'w osod ar dir Coleg Westminster, sefydliad hyfforddi athrawon Methodistaidd oedd yn cael ei symud i safle newydd y tu allan i Rydychen ar y pryd. Aeth y comisiwn i John F. Matthews, un o'r cerflunwyr a fu'n amlwg yng Ngŵyl Prydain saith mlynedd ynghynt. Cafodd tri o'i weithiau eu harddangos gyda chyfraniadau artistiaid addawol ac artistiaid oedd wedi hen ennill eu plwyf, gan gynnwys Henry Moore, Eduardo Paolozzi, Lynn Chadwick ac F.E. McWilliam. Ei brif ddarn yn yr ŵyl oedd *Y Chwiorydd*, cerflun o ddwy fenyw gyda phlentyn ifanc. Y teitl ar gyfer comisiwn Westminster oedd *Hyfforddа blentyn ym mhen ei Ffordd* o *Lyfr y Diarhebion 22:6*. Roedd yn portreadu Crist gyda phlentyn yn sefyll rhwng Ei freichiau agored, o flaen y byd ac eto wedi'i amddiffyn. Mae'r trefniant, pwysau'r ffigyrau a chryfder yr wynebau'n dangos ôl Jacob Epstein, yn enwedig ei waith *Y Forwyn a'i Phlentyn* 1953, ac i diwtor Matthews yn y Coleg Celf Brenhinol, Frank Dobson. Roedd y cerflun 13 troedfedd o uchder heb ei blinth; bu'n rhaid i Matthews godi to ei stiwdio i wneud lle iddo. Concrit oedd y cyfrwng, fel ei gerfluniau yng Ngŵyl Prydain. (Gwnaed cast resin ohono yn 2002 am fod y gwaith gwreiddiol hanner cant oed wedi dechrau dirywio.)

Aeth rhan o rodd ariannol John a Sheila i dalu am waith i adeiladu man gwylio dros Rydychen. Cafodd y cerflun ei

Art in the public eye

The extent and depth of John and Sheila's quiet contributions to making art publicly available has never been clear. In most cases, their work was anonymous, and even now a great deal they did may not be known. They placed art in the public eye but they themselves were careful to keep out of it.

Although the appreciation of art began at home, they were quick to bring to others some of the benefits of art as they saw them. John recognised that he had been blessed with good health, faith, education and wealth, and it was one of his aims to pass on the fruits of his good fortune. Art was one of the causes John and Sheila felt it was important to support, alongside Methodism and education. This represented an increasingly unusual position in the late twentieth century as state patronage rather than private initiatives came to dominate the arts.

In 1958, they made an anonymous donation for the commissioning of a sculpture to be placed in the grounds of Westminster College, a Methodist teacher training institution then being re-located to a new site outside Oxford. The commission went to John F. Matthews, one of the sculptors who had been prominent in the Festival of Britain seven years earlier, three of his works being exhibited alongside contributions by coming and established artists such as Henry Moore, Eduardo Paolozzi, Lynn Chadwick and F.E. McWilliam. The title for the Westminster commission, taken from *Proverbs 22:6*, was *Train up a child in the way that he should go*. It portrayed Christ with a child standing between his outstretched arms, set forth to the world and yet protected. The arrangement, the weight of figures and the strength of facial features in the modelling owe something to Jacob Epstein, particularly his *Madonna and Child* of 1953, and to Matthews' tutor at the Royal College of Art, Frank Dobson. The sculpture was 13 feet high without its plinth; Matthews had to have the roof of his studio raised to accommodate it. The medium was concrete, like his sculptures at the Festival of Britain. (A cast was taken in 2002 owing to the gradual deterioration of the half-century-old original.)

John F. Matthews (1920-1995)
Hyffordda blentyn ym mhen ei Ffordd, 1958, concrit, Coleg Westminster, Rhydychen

John F. Matthews (1920-1995),
Train up a child in the way that he should go, 1958, concrete, Westminster College, Oxford

osod ar drybedd o fwâu parabolig, gan roi urddas esgynnol i'r darn sy'n atgoffa rhywun, o ran ysbryd os nad o ran maint, o gerflun y Crist uwchben Rio de Janeiro. Daeth yn un o nodweddion cyfarwydd y coleg, yn adnabyddus i genedlaethau o fyfyrwyr, ac mae'n debyg ei fod wedi helpu i ysbrydoli rhai darpar athrawon yn y ffordd a fwriadwyd. Mae dyfyniad o gerdd gan gyn-fyfyriwr a ddarllenwyd adeg cysegru'r cast newydd yn 2002 yn dangos ei effaith:

For those large haunting eyes
Persist in questioning.
"Do you not see?
Look. Look at the child."
And the focus suddenly shifts
To the patient gentle face
Of the child standing in front,
Hands confidently at his side,
Shielded by the body of Christ.
"Now do you understand?"

Part of John and Sheila's donation paid for the construction of a viewing point over Oxford, and the sculpture was placed on a tripod of parabolic arches, giving it a soaring presence reminiscent in spirit if not scale of the Christ statue above Rio de Janeiro. It became a familiar feature of the college, well-known to generations of students, and appears to have helped give some future teachers the inspiration that was intended. An extract from a poem by a former student read at the dedication of the new cast in 2002 indicates its impact:

For those large haunting eyes
Persist in questioning.
"Do you not see?
Look. Look at the child."
And the focus suddenly shifts
To the patient gentle face
Of the child standing in front,
Hands confidently at his side,
Shielded by the body of Christ.
"Now do you understand?"

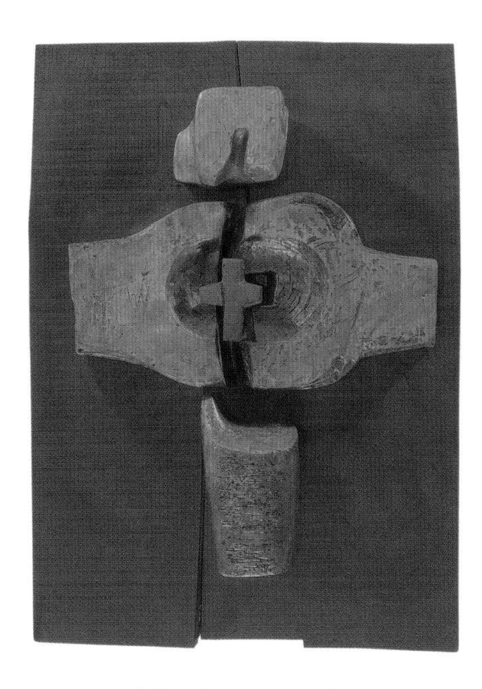

Michael Edmonds (g. 1926),
tua 1963, alwminiwm wedi'i gastio, persbecs a phren, 95.5x70x17cm, Eglwys Fethodistaidd Trinity, Penarth

Michael Edmonds (b. 1926),
c. 1963, cast aluminium, perspex and timber, 95.5x70x17cm, Trinity Methodist Church, Penarth

Chwaraeodd celf ran wrth adeiladu Tŷ Rhyngwladol Methodistiaid De Cymru yn rhan o ardd Sea Roads ychydig flynyddoedd wedyn hefyd. John a Sheila fu'n gyfrifol am ddechrau'r project i greu preswylfan lle gallai myfyrwyr tramor, yn enwedig rhai o wledydd oedd yn datblygu, gydfyw â myfyrwyr o Brydain. Cafodd yr adeilad chwe llawr ei gynllunio gan swyddfa'r pensaer o Fethodist Edward D. Mills yn Llundain, lle roedd eu hen gyfaill Michael Edmonds yn gweithio erbyn hynny. Er mwyn sicrhau bod lle i gelf yno, comisiynwyd Edmonds i wneud cerflun myfyriol ac iddo ffurfiau haniaethol atgofus ym 1965 (mae'r cerflun yn Eglwys Fethodistaidd Trinity erbyn hyn). Mae'r darn wedi'i osod ar ddau ddarn anferth o bren sy'n awgrymu pren y groes. Ar ben hyn, gosodwyd croes alwminiwm wedi'i gastio mewn siapiau organig fel esgyrn a chymalau sy'n pwysleisio marwoldeb Crist. Mae'r ceudod y tu mewn ar ffurf croes fras hefyd, a'r tu mewn iddo mae croes arall: mae'r olyniaeth barhaol o groesau y tu mewn i'w gilydd yn diweddu gyda llewyrch golau oddi mewn i'r argragen sy'n awgrymu'r Atgyfodiad. Ym 1963 roedd Douglas Wollen wedi prynu gwaith arall gan Edmonds, *Y Groes dros y Ddinas*, ar gyfer casgliad y Methodistiaid.

Art also played a part a few years later in the building, within part of the garden of Sea Roads, of the Methodist International House of South Wales. The creation of a residence where overseas students, especially from developing countries, could live alongside British counterparts was a project that John and Sheila initiated. The six-storey building was designed by the office of the Methodist architect Edward D. Mills in London, where their old friend Michael Edmonds was now working. In order to ensure there was a place for art, Edmonds was commissioned to make a contemplative sculpture of evocative abstract forms in 1965 (now in Trinity Methodist Church). The piece is mounted on two massive timbers that suggest the wood of the cross. On this is placed a cross of cast aluminium in organic shapes like bones and joints that bring home the mortality of Christ. The cavity within is also loosely cross-shaped and contains another cross; the enduring succession of crosses within one another ends in a luminosity within the carapace that hints at the Resurrection. In 1963, Douglas Wollen had bought another work by Edmonds, *The Cross Over the City*, for the Methodist collection.

Ysgrifennodd Eric Newton am adeiladweithiau Edmonds ar gyfer ei arddangosfa yn Oriel Drian yn Llundain ym 1962 yn *The Guardian*:'Maent yn ei arwain at rywbeth mor ddiymwad o hardd nad yw geirfa arferol y beirniad celf yn ddigonol'.[41]

Roedd cred John yng nghyfraniad pethau gweledol i'w grefydd yn cwmpasu pensaernïaeth a chynllunio ystafelloedd yn ogystal â pheintiadau a cherfluniau. Nid oedd estheteg ar y naill law na diwinyddiaeth ar y llall byth yn dylanwadu'n ormodol ar ei safbwyntiau; yn hytrach roeddent yn deillio o'i sicrwydd y gallai celf helpu pobl gyda'u ffydd bersonol. Mae ei nodyn am Gynhadledd Cymdeithas yr Artistiaid Cristnogol ar gyfer cylchgrawn eglwys Trinity ym 1963 yn dangos pa mor bragmatig oedd o ran ei safbwynt wrth i'w fentrau ar gyfer Tŷ Rhyngwladol y Methodistiaid a chasgliad celf y Methodistiaid ddechrau dod at ei gilydd

> *I rai, efallai bod cysylltu Celf a Methodistiaeth fel ceisio cymysgu olew a dŵr. Celf, yn ôl rhai, yw busnes pobl ecsentrig hirwallt ar y Lan Chwith ym Mharis. Gall Methodistiaeth fod yn beth digon llym, yn rhygnu ymlaen mewn capeli hyll gyda phobl ddiflas nad ydynt yn dod yn agos at bleser ond trwy wneud bywyd mor llwm a di-liw â nhw eu hunain.*
> *Eto i gyd cyfarfu'r ddwy yn hapus ac yn broffidiol mewn cynhadledd yng Nghastell Willersley o 22 i 27 Ebrill 1963. Nid y ddau wawdlun uchod, ond rhyw 40 o Benseiri, Cerflunwyr ac Artistiaid Methodistaidd, dynion a menywod a chanddynt ddiddordeb byw yn y Celfyddydau, dreuliodd y pedwar diwrnod yn ystyried y ffordd orau o fynd ati i wasanaethu eu Heglwys. Buom yn ceisio datrys y cwestiwn o sut olwg ddylai fod ar Eglwys, y trefniant gorau yn adeilad yr Eglwys ar gyfer Bwrdd, Pulpud a Bedyddfaen, effaith peintio crefyddol cyfoes, ac a oes gan gelf haniaethol ran i'w chwarae fel cymorth i addoli hefyd.*
> *Er bod Methodistiaeth wedi rhoi lle priodol i gerddoriaeth erioed – sylwer ar y gorbwyslais ar bibellau'r organ – bu arni ofn y celfyddydau gweledol, ac mae yna elfen Biwritanaidd sy'n ein cymell i fod yn amheus wrth addoli delweddau. Bu arni ofn dangos symbol fwyaf ein Ffydd tan yn ddiweddar hyd yn oed. Ond mae'r ddau beth wedi closio, yn araf fel y gallwn ddeall yn well sancteiddrwydd harddwch a dechrau malio sut olwg sydd ar Eglwys – neu'r gyllell a'r fforc a'r plât sy'n cael eu defnyddio Mharlwr yr Eglwys.*

Eric Newton wrote in *The Guardian* about Edmonds' constructions for his exhibition at the Drian Gallery in London in 1962, 'They lead him to something so undeniably beautiful that the normal vocabulary of the art critic becomes inadequate'.[41]

John's belief in the visual contribution to his religion encompassed architecture and interior design as well as paintings and sculpture. His views were never unduly influenced by either aesthetics on one side or theology on the other, but were born from a certainty that art can help people in their personal faith. His note about a Society for Christian Artists Conference for the Trinity Church magazine in 1963 expresses the pragmatism of his views at the time that his initiatives for Methodist International House and the Methodist art collection were taking shape.

> *To link together Art and Methodism might seem to some like trying to mix oil and water. Art, it is often supposed, is the concern of long-haired eccentrics on the Left Bank in Paris. Methodism may seem a grim business, ground out in ugly chapels by dull people whose nearest approach to pleasure is in making life as drab and colourless as they are.*
> *Yet the two met happily and profitably together in a conference at Willersley Castle from April 22nd to 27th, 1963. Not the above two caricatures, but some 40 Methodist Architects, Sculptors and Artists, men and women having a lively interest in the Arts, who spent the four days working out how they can best serve their Church. We tried to solve the question of what a Church should look like, of the best arrangement within the Church building for Table, Pulpit and Font, of the impact of contemporary religious painting and whether abstract art also has a part to play as an aid to devotion.*
> *Methodism, although it has always given a due place to music – witness the over-emphasis on the organ pipes – has been fearful of the visual arts, and there is a Puritan streak which compels us to beware of the worship of images and has even been fearful until recently of displaying the supreme symbol of our Faith. A rapprochement, however, has slowly come about so that we are increasingly able to comprehend the holiness of beauty and are beginning to mind what a Church – or the knife and form or plate used in the Church Parlour – looks like.*

Syr Jacob Epstein (1880-1959),
Cast o'r Maquette o Fihangel Sant a'r Diafol ar gyfer Eglwys Gadeiriol Coventry (1956), 53cm, Yr Eglwys Fethodistaidd, ar fenthyciad i Dŷ Wesley, Caergrawnt

Sir Jacob Epstein (1880-1959),
Cast of the Maquette of St Michael and the Devil for Coventry Cathedral, 1956, 53cm, Methodist Church, on loan to Wesley House, Cambridge

Rhoddodd John a Sheila weithiau i sawl eglwys, ysgol a choleg Methodistaidd. Er enghraifft, pan welodd John gerflun trawiadol o Grist a'r Apostolion yn Oberammergau ym 1960 fe'i prynodd a'i gynnig i Eglwys Fethodistaidd Llanyrafon yng Nghwmbrân. Eu rhodd fwyaf arwyddocaol oedd gwaith efydd gan Epstein a brynodd John mewn arwerthiant ym 1988 i'w roi ar fenthyciad parhaol i Goleg Methodistaidd Tŷ Wesley yng Nghaergrawnt (dan adain casgliad y Methodistiaid). Daeth y darn o un o'r castiau a wnaed o'r maquette ar gyfer *Mihangel Sant a'r Diafol.* Mae'r gwaith gorffenedig yn sefyll uwchben mynedfa Eglwys Gadeiriol Coventry ac mae llawer o bobl yn ei ystyried fel campwaith Epstein. Hwn oedd ei waith mawr olaf.

Epstein oedd un o gerflunwyr mwyaf dylanwadol yr ugeinfed ganrif. Cafodd ei eni yn Efrog Newydd ym 1880,

John and Sheila donated works of art to several Methodist churches, schools and colleges. For example, when John saw an impressive carving of Christ and the Apostles at Oberammergau in 1960 he bought it and offered it to Llanyrafon Methodist Church in Cwmbran. Their most significant gift was an Epstein bronze that John purchased at auction in 1988 for permanent loan to Wesley House Methodist college in Cambridge (through the auspices of the Methodist Church). The piece was one of the casts made from the maquette for Epstein's *St Michael and the Devil.* The finished work, which dominates the entrance to Coventry Cathedral, has a claim to be Epstein's masterpiece, and was his last major work.

Epstein was one of the most influential sculptors of the twentieth century. Born in New York in 1880, he studied in Paris in his early twenties and he settled in

aeth i astudio ym Mharis yn ei ugeiniau cynnar ac ymgartrefodd yn Llundain ym 1905. Er gwaethaf gwrth-semitiaeth a beirniadaeth o'i Foderniaeth radicalaidd, cafodd ei gomisiynu i wneud llawer o gerfluniau ar themâu Cristnogol. Roedd ei gerflun o'r *Forwyn a'i Phlentyn* ar gyfer Convent of the Holy Child Jesus yn Llundain, a wnaeth ym 1953, yn syfrdanu dynion oedd yn ei basio gymaint, nes iddynt dynnu eu hetiau, a phrin y gallai neb oedd yn byw yng Nghymru yn y 1950au diweddar beidio â bod yn ymwybodol o'i waith *Crist mewn Mawrhydi*, canolbwynt Eglwys Gadeiriol Llandaf a ddadorchuddiwyd ym 1956.

Cofnododd pensaer Coventry, Syr Basil Spence, yn ei lyfr *Phoenix at Coventry* bod y dadlau dros benodi cerflunydd o Iddew bron wedi atal Epstein rhag cael y comisiwn ar gyfer yr eglwys gadeiriol newydd. Nid oedd y pwyllgor yn fodlon gwneud eu penderfyniad terfynol nes cael maquette, ond aeth Epstein ymlaen cyn y gellid ei gymeradwyo. Pan gwestiynodd Spence ef ynghylch hyn, dywedodd 'Ydw i'n mynd yn rhy gyflym.... Edrychwch, dydw i ddim yn gweithio i'r Pwyllgor bellach, rwy'n gweithio i mi fy hun.' Cymeradwyodd y pwyllgor y darn gorffenedig ar unwaith ar ôl ei weld ond bu farw Epstein yn fuan cyn i'r gwaith terfynol gael ei godi i'w le ym 1960. Dim ond hanner metr o uchder yw'r maquette o'i gymharu â deng metr y gwaith terfynol. Diagram bras yw hi o'r cyfansoddiad terfynol ond mae'n dal yr un ddeinameg a wnaeth hwn yn gampwaith o gelf grefyddol: Mihangel Sant yn codi tua'r nefoedd a'r Diafol yn gorwedd, wedi ei orchfygu. Roedd John wedi'i gyffroi gan brynu darn o waith oedd â lle mor bwysig mewn eiconograffeg Cristnogol modern. Meddai mewn cyfweliad radio:

> *Ai dim ond Cristnogion sy'n gallu dehongli'r stori Gristnogol? Dyma gwestiwn sy'n codi'n aml iawn, ac rwy'n meddwl mai'r ateb yw, ystyriwch gerflun Epstein ar Eglwys Gadeiriol Coventry, cerflun o Fihangel Sant yn gorchfygu'r Diafol. Mae gennym fodel bach o hwn... mae'n dangos Daioni yn trechu Drygioni. Fel arfer mewn arlunio Drygioni sydd fwyaf deniadol. Yn yr achos hwn does dim amheuaeth mai Daioni sydd fwyaf deniadol.*[42]

Efallai mai Casgliad yr Eglwys Fethodistaidd o Gelf Gristnogol Fodern oedd cyfraniad mwyaf dylanwadol John at werthfawrogi celf a'i chyflwyno i gynulleidfa ehangach. Fe'i dechreuwyd yn y 1960au cynnar am ei fod

London in 1905. Despite anti-Semitism and criticism of his radical Modernism, he was commissioned to make many sculptures on Christian themes. His *Madonna and Child* of 1953 for the Convent of the Holy Child Jesus in London was known to stun passers-by into removing their hats, and hardly anyone living in Wales in the late 1950s could fail to be aware of his *Christ in Majesty*, the centrepiece of Llandaff Cathedral unveiled in 1956.

The architect of Coventry, Sir Basil Spence, recorded in his book *Phoenix at Coventry* that controversy over the appointment of a Jewish sculptor nearly prevented Epstein winning the commission for the new cathedral. A maquette was required by the committee before they would finalise their decision, but Epstein went ahead before it could be approved. When Spence questioned this he said, 'Am I going too fast.... Look, I'm not working for the Committee any more, I am working for myself.' The full-size piece was approved by the committee as soon as it was seen. Epstein died shortly before the final work was lifted into place in 1960. The maquette is only half a metre high compared with the ten metres of the final work. It is a crude diagram of the composition, but it captures the same dynamic that made this a triumph of religious art: the upward thrust of St Michael and the prostrate, vanquished figure of the Devil. John was excited by the purchase of a work with such a significant place in modern Christian iconography. He said in a radio interview:

> *Can only Christians interpret the Christian story? This is a question which is very often asked, and I think the reply to it is to consider the Epstein statute on Coventry Cathedral, a statue of St Michael overcoming the Devil. We have a small model of this ... it shows Goodness triumphing over Evil. Usually in painting it's the Evil that is more attractive. In this case there is no doubt that it is Goodness.*[42]

The Methodist Church Collection of Modern Christian Art was perhaps John's most influential contribution to the appreciation of art and its introduction to wider audiences. It was begun in the early 1960s because he and Sheila, confirmed by friends like Michael Edmonds and Douglas Wollen, believed Methodist churches were in need of improvement: in particular, new churches were often

ef a Sheila, gyda chadarnhad cyfeillion fel Michael Edmonds a Douglas Wollen, yn credu bod angen gwella eglwysi Methodistaidd. Yn benodol, roedd eglwysi newydd yn aml yn ddigymeriad neu'n wan o ran safon esthetig, heb harneisio pŵer celf fel adnodd myfyriol neu ddarluniadol. I gyd-fynd â'u gwaith o gomisiynu neu brynu celf ar gyfer eglwysi unigol, eu bwriad oedd darparu casgliad o weithiau a fyddai'n hybu agwedd fwy creadigol yn yr Eglwys Fethodistaidd.

Roedd llygaid John a Sheila yn brofiadol erbyn hyn o ran potensial celf Fodern, ac am dros ddegawd roedden nhw wedi bod yn byw gyda gweithiau pwysig ac yn cael cyfle i'w hystyried yn eu cartref eu hunain. Drwy deithio, roeddent hefyd wedi gweld y gelfyddyd sy'n ysbrydoli mewn adeiladau crefyddol ar draws Ewrop. Roedd defnyddio celf Fodern yn rhan bwysig o'r gwaith adfer ar ôl y rhyfel ac mewn adeiladau newydd ar gyfer yr Eglwys Anglicanaidd a'r Eglwys Gatholig. Roedd gwaith George Pace gydag artistiaid fel Epstein, Piper a Frank Roper ar stepen eu drws yn Llandaf, ac roedd gweithiau crefyddol gan Fodernwyr Prydeinig fel Sutherland, Spencer a Richards yn dod i fri yn genedlaethol. Roedd y gweithgarwch yr ochr draw i'r Sianel yn fwy o ysbrydoliaeth fyth. Roedd penderfyniad y Pab ym 1947 i gofleidio Moderniaeth yn cael effaith, ac roedd Corbusier, Matisse, Chagall a Léger oll yn amlwg o ran creu celf grefyddol.[43]

Fel cyn Is-Lywydd y Gynhadledd Fethodistaidd, efallai bod gan John ddigon o ddylanwad i annog pobl eraill yn yr Eglwys i gomisiynu celf Fodern, ond byddai wedi cydnabod mai peth dadleuol fyddai hynny. Yn hytrach, penderfynodd ariannu ei gasgliad enghreifftiol ei hun. Gofynnodd i Douglas Wollen fynd ati i chwilio am weithiau a'u dethol o 1962 ymlaen. Rhoddodd John gyllldeb o £4,000 iddo, a rhyddid llwyr o ran beth i'w brynu. Roedd y ffaith iddynt ganolbwyntio ar brynu gweithiau celf gwerthfawr, gwreiddiol yn hytrach nag atgynyrchiadau addysgol, yn hynod. Mae'n ymddangos nad oedd hyn yn codi o ryw gred bod gwneud celf yn weithred gysegredig o addoli, fel pan fo eicon Uniongred yn troi'n ffenestr ar dragwyddoldeb. Yn hytrach mae'n ymddangos mai egwyddorion mwy personol o lawer oedd yn gyfrifol am hyn. Roedd yn dangos bod John yn gwybod bod gwaith gwreiddiol yn cyfleu mwy nag atgynhyrchiad, a hefyd ei fod yn credu y dylai gynnig yr un peth i eraill gan ei fod ef ei hun yn casglu gweithiau celf gwreiddiol, dim ots am eu gwerth ariannol.

without character or aesthetic quality, and the power of art as a meditative or illustrative resource was not harnessed. To complement their work in commissioning or purchasing art for individual churches their intention was to provide a collection of works that would encourage a more imaginative approach throughout the Methodist Church.

John and Sheila's own eyes were by now experienced in the potential of Modern art, and for more than a decade they had had the opportunity to live with important works and contemplate them in their own home. They had also seen during their travels the inspirational art in religious buildings throughout Europe. The use of Modern art was becoming an important part of post-War restorations and new buildings for the Anglican and the Roman Catholic churches. The work of George Pace with artists such as Epstein, Piper and Frank Roper was on their doorstep at Llandaff, and religious works by British Modernists such as Sutherland, Spencer and Richards were becoming celebrated nationally. Activity across the Channel was even more inspiring, where the decision of the Pope in 1947 to embrace Modernism was having an impact, and Corbusier, Matisse, Chagall and Léger were all prominent in making religious art.[43]

As a past Vice-President of the Methodist Conference, John might have had sufficient influence to encourage others in the Church to pursue Modern art commissions, but he would have recognised that this would be controversial. Instead, he decided to fund an exemplary collection himself. He invited Douglas Wollen to take the role of seeking out works. In 1962, John provided him with a budget of £4,000 and a free hand in what to buy. The resulting concentration on valuable, original works of art rather than educational reproductions was remarkable. This does not seem to have derived from any belief in the making of art as a sacred act of devotion, as when an Orthodox icon becomes itself a window onto eternity, but to have been based on much more personal principles. It expressed John's knowledge that an original work conveys more than a reproduction, and, more importantly, his presumption that if he collected original works of art himself the same should be offered to others, regardless of monetary value.

Dangoswyd y casgliad cynnar am y tro cyntaf rhwng 1963 a 1965, mewn arddangosfa oedd yn dwyn y teitl *Yr Eglwys a'r Artist*. Teithiodd yr arddangosfa i 30 o leoliadau ar draws y wlad a chafodd dros 107,000 o bobl gyfle i'w gweld. Aeth teithiau diweddarach i ragor o leoliadau eto ac mae'r casgliad cyfan yn dal i gael ei ehangu a'i weld mewn lleoedd newydd. Bellach mae'n cynnwys tua deugain o weithiau, wedi'u dogfennu'n drawiadol gan Roger Wollen yn ei *Catalogue of the Methodist Church Collection of Modern Christian Art* (2003). Mae'n amhosibl asesu ei effaith yn llawn, ond heb amheuaeth, mae llawer iawn o bobl wedi dod i gysylltiad â'r gweithiau mewn sefydliadau addysgol ac eglwysi yn ogystal ag orielau. Ers creu'r casgliad, bu llawer mwy o ddiddordeb yn rôl celf gyfoes mewn Cristnogaeth, a mynegwyd hyn mewn arddangosfeydd, cyhoeddiadau, cynadleddau ac wrth gomisiynu celf ar gyfer eglwysi, yn union fel roedd John Gibbs a Douglas Wollen wedi bwriadu.

Nid oedd dim dogfennaeth gyhoeddus yn oes John yn hysbysebu ffynonellau cyllid casgliad y Methodistiaid, ac ychydig o bobl a sylweddolai pa mor llwyr roedd John wedi cyllido'r hyn oedd, i bob golwg, yn gasgliad corfforaethol o dan adain yr Eglwys. Mae nodyn ysgrifennodd John ar gyfer cylchlythyr eglwys Trinity pan ddaeth *Yr Eglwys a'r Artist* i Dŷ Turner ym Mhenarth ym 1965, yn rhoi syniad o'i amcanion wrth ddechrau'r casgliad, o'i amharodrwydd i nodi ei ran ei hun ynddo, a'i ddyheadau am yr hyn y gallai'r casgliad ei gyflawni.

> *Heb amheuaeth, mae'r peintiadau yn gasgliad arbennig ynddynt eu hunain. Bu modd cynnwys artistiaid byd-enwog (fel Rouault, Ceri Richards a Graham Sutherland.) Ein cyn Weinidog Cylchdaith, y Parch. Douglas Wollen fu'n gyfrifol am gronni'r casgliad. Roedd hi'n dasg anodd ond cyffrous, gan fod y rhan fwyaf o Gelf Grefyddol yn resynus o wael.... Dyma'r tro cyntaf i'n Heglwys wneud Arddangosfa o'r fath. Mae'n gwneud i ni edrych o ddifrif ar y ffordd mae artistiaid cyfoes yn gweld Iesu Grist a'i neges i'r byd heddiw, ac i feddwl sut dylai ei Eglwys fod. Gobeithio y byddwch chi'n gallu mynd, a mynd â'ch ffrindiau hefyd.*

A first showing of the nascent collection took place between 1963 and 1965, in the form of an exhibition titled *The Church and the Artist* that went to thirty venues around the country and was visited by over 107,000 people. After this, for many years the works were placed on long term loan in schools and colleges. Today, the entire collection continues to be enlarged and seen in new places. It contains some forty works, impressively documented by Roger Wollen in his *Catalogue of the Methodist Church Collection of Modern Christian Art* (2003). It is impossible to assess its full impact, but there can be no doubt that large numbers of people have encountered the works, in educational institutions and churches as well as galleries. The creation of the collection has been followed by greatly increased interest in the role of contemporary art in Christianity, expressed in exhibitions, publications, conferences and the commissioning of art for churches, just as John Gibbs and Douglas Wollen intended.

No public documentation in John's lifetime advertised the sources of funding for the Methodist collection, and very few people realised how comprehensively John had funded what gave every appearance of being a corporate collection under the auspices of the Church. A note written by John for Trinity Church newsletter when *The Church and the Artist* came to Turner House in Penarth in 1965 gives an impression of his aims in beginning the collection, his reticence to identify his own role in it, and his aspirations for what the collection might achieve.

> *The paintings undoubtedly form a remarkable collection in themselves. It has been possible to include world famous artists (like Rouault, Ceri Richards and Graham Sutherland.) The collection was made by our former Circuit Minister, the Rev. Douglas Wollen. He found this an exciting but difficult task, as most popular Religious Art is deplorably bad.... The Exhibition is the first thing of its kind that has ever been done by our Church. It makes us look seriously at how contemporary artists see Jesus Christ and his message for the world today, and to think about what his Church should be like. We hope you will be able to go and take your friends, too.*

William Roberts (1895-1980),
Y Croeshoeliad, dim dyddiad, 1920au cynnar, olew ar gynfas, 75x90cm, Casgliad yr Eglwys Fethodistaidd o Gelf Gristnogol Fodern, Rhif 27
William Roberts (1895-1980),
The Crucifixion, undated, early 1920s, oil on canvas, 75x90cm, Methodist Church Collection of Modern Christian Art, No. 27

Roedd John a Sheila wrth eu bodd ar y gweithiau a brynwyd ym mlynyddoedd cynnar y casgliad. Ymhlith y grŵp cyntaf roedd lluniau'n ymwneud â phob agwedd o'r stori Gristnogol gan Burra, Edmonds, Elizabeth Frink, Albert Herbert, Ceri Richards, William Roberts, Frank Roper a Georges Rouault. *Y Croeshoeliad* gan Roberts oedd un o'r enghreifftiau gorau o'i waith cynnar. Fe'i peintiwyd yn y 1920au pan oedd yn arbrofi â Chiwbiaeth. Roedd y peintiad yn eiddo i Augustus John, a ddisgrifiodd Roberts fel 'yr unig Giwbydd diedifar yn Llundain' (bu'n un o aelodau gwreiddiol Grŵp Forteiswyr Wyndham Lewis), ac fe'i prynwyd ar gyfer y casgliad ar ôl ei farwolaeth. Cymrodd Roberts agwedd benderfynol o annibynnol at destun y Croeshoeliad. Ymwrthododd â drama ac ynysiaeth arferol y digwyddiad canolog, a chreu yn hytrach olygfa lawen, bron fel gŵyl, lle nad yw Crist yn cael dim sylw arbennig. Mae'n cymryd ennyd i weithio allan pa un yw Ef o'r tair ffigwr sydd wedi'u croeshoelio.

John and Sheila were delighted with the works purchased in the early years of the collection. Among the initial group were pictures concerned with all aspects of the Christian story by Burra, Edmonds, Elizabeth Frink, Albert Herbert, Ceri Richards, William Roberts, Frank Roper and Georges Rouault. Roberts' *Crucifixion* was considered one of the best examples of his early work, painted in the 1920s. The painting belonged to Augustus John, who described Roberts as 'the only incurable Cubist in London' (he had been one of the original members of Wyndham Lewis' Vorticist Group), and it was purchased for the collection after his death. Roberts took a resolutely independent approach to the subject of the Crucifixion, departing from the usual drama and isolation of the central event in favour of a cluttered, almost festival scene in which no special attention is given to Christ. It takes a moment to work out which he is of the three crucified figures.

Ceri Richards (1903-1971),
Y Swper yn Emaus, 1958, gouache, 40x40cm, Casgliad yr Eglwys Fethodistaidd o Gelf Gristnogol Fodern, Rhif 26

Ceri Richards (1903-1971),
The Supper at Emmaus, 1958, gouache, 40x40cm, Methodist Church Collection of Modern Christian Art, No. 26

Un o'r gweithiau cynnar eraill a brynodd Wollen oedd astudiaeth Ceri Richards ar gyfer ei allorlun yn St Edmund Hall, Rhydychen, *Y Swper yn Emaus*, a beintiwyd ym 1958. Roedd darlun dyngar ac emosiynol Richards, *Y Disgyniad*, a beintiwyd yr un flwyddyn, i'w weld yn Eglwys y Santes Fair yn Abertawe eisoes. Roedd *Y Swper yn Emaus* yn ddarlun ac iddo liw disglair a ffurf feiddgar. Mae'n dangos y bara'n cael ei dorri ymhlith y cymdeithion sydd wedi cyd-gerdded ar ôl claddedigaeth Crist, ar yr union eiliad maent yn sylweddoli bod Crist ei hun wedi bod yn cyd-gerdded â hwy. Mae'r dwylo a'r traed wedi'u chwyddo y tu hwnt i fesur, fel sy'n digwydd yn aml yng ngweithiau Richards. Y tro hwn maent yn pwysleisio'r profiadau o gerdded a thorri bara. Cafodd Richards yr un anhawster ag artistiaid cynharach wrth ddangos Crist yn dod allan o'r goleuni sy'n creu croes felen lachar yn erbyn y cefndir glas. Mae wyneb Crist yn weladwy yn hytrach nag yn y cysgod sy'n ei wneud Ef yn rhan o'r goleuni.

Another of Wollen's initial purchases was the study by Ceri Richards for his altarpiece at St Edmund Hall in Oxford, *The Supper at Emmaus*, painted in 1958. Richards' humane and moving *Deposition* of the same year was already to be seen in St Mary's Church in Swansea. *The Supper* was a picture of scintillating colour and bold form. It showed the breaking of the bread between the companions who have walked together after Christ's entombment, at the very moment when they realise it is Christ himself who has walked with them. As was often the case for Richards, the hands and feet were magnified out of all proportion, here emphasising poetically the sensations of both walking and breaking bread. Richards had the same difficulty as earlier artists in showing Christ coming out of the light, which makes a vivid yellow cross against the blue background. Christ's face is clear rather than mysteriously in shadow from the light behind him, but this is because he himself is of the light.

Frank Roper (1914–2000),
Y Disgyniad, Iesu'n cael ei dynnu i lawr o'r Groes: rhif XIII o Safleoedd y Groes, 1963, alwminiwm wedi'i gastio ar estyll pîn, meintiau amrywiol, tua 82x90cm, Casgliad yr Eglwys Fethodistaidd o Gelf Gristnogol Fodern, Rhif 32

Frank Roper (1914–2000),
The Deposition, Jesus is Taken Down from the Cross: number XIII of the Stations of the Cross, 1963, cast aluminium on pine planking, 90x82cm, Methodist Church Collection of Modern Christian Art, No.32

At hynny, prynodd Wollen bedair cerfwedd gan Frank Roper, cerflunydd a Dirprwy Brifathro Coleg Celf Caerdydd. Roedd Roper ymhlith y mwyaf toreithiog o'r holl artistiaid oedd yn ymgymryd â chomisiynau i eglwysi ar ôl y Rhyfel. Roedd Roper wedi cynhyrchu set wych o gerfweddau o Safleoedd y Groes ar gyfer Eglwys Sant Martin, y Rhath, Caerdydd, ym 1959. Dangosai'r cerfluniau emosiynol llawn mynegiant hyn ddyled yr artist i gelf ganoloesol yn ogystal ag i Moore a cherflunwyr eraill ei gyfnod ei hun, a chafodd anawsterau gydag awdurdodau eglwysig oedd weithiau'n gweld ei waith yn rhy heriol. Fe'i comisiynwyd i wneud set arall o Safleoedd ar gyfer Eglwys St Saviour yn Sblot, Caerdydd, ym 1963. Prynodd Wollen ail gastinau'r pedwar gorau yn llygaid Roper ei hun. Roedden nhw'n fwy gwastad a diagramatig na'r fersiwn cynharach, ond yr un mor dyner. Cawsant eu gwneud o

Wollen also bought four reliefs by the sculptor and Vice-Principal of Cardiff College of Art, Frank Roper, one of the most prolific of all post-War artists undertaking church commissions. Roper had produced an outstanding set of wall reliefs of the Stations of the Cross for St Martin's Church in Roath, Cardiff, in 1959. His emotive and expressive sculptures showed his debt to medieval art as well as to Moore and other sculptors of his own era, and he had persistent difficulties with church committees whose members found his work too challenging. Dealing with an enlightened, single purchaser must have been a breath of fresh of air. He had been commissioned to make another set of Stations for St Saviour's Church in Splott, Cardiff, in 1963, and Wollen purchased second castings of the ones that Roper himself felt were the four best. They were flatter and more

Graham Sutherland (1903-1980),
Y Disgyniad, 1947, olew ar gynfas, 50x45cm, Casgliad y Methodistiaid o Gelf Gristnogol Fodern, Rhif 38
Graham Sutherland (1903-1980),
The Deposition, 1947, oil on canvas, 50x45cm, Methodist Collection of Modern Christian Art, No. 38

alwminiwm gan broses Roper ei hun o gastio polystyren coll, ar lawr isaf ei dŷ ym Mhenarth. Byddai Roper yn gwneud cerfluniau iddo fe'i hun hefyd, ac ym 1973 prynodd John ei gerflun o ffigwr, *Esgob* – y cerflun roedd Roper yn fwyaf hoff ohono, ar gyfer Cymdeithas Celfyddyd Gyfoes Cymru.

diagrammatic than the earlier sculptures, but equally tender. They were made in aluminium by Roper's own process of lost polystyrene casting, carried out on the ground floor of his house in Penarth. Roper also made sculptures for himself, and in 1973 John bought his figure statue, *Bishop* – the piece Roper himself was most fond of – for the Contemporary Art Society for Wales.

John ei hun brynodd un o'r gweithiau mwyaf eithriadol yng nghasgliad y Methodistiaid, a hynny y tu hwnt i'r gyllideb a roddodd i Douglas Wollen. Roedd Wollen wedi mynd at Graham Sutherland ynghylch comisiwn ar destun y Pasg. Nid oedd Sutherland yn gallu gwneud y gwaith, am ei fod yn teimlo bod y rhan yma o stori Crist yn wahanol i bob un arall o safbwynt arlunydd am ei fod yn 'lledrithiol'.[44] Roedd peintiad crefyddol cyntaf Sutherland wedi cael ei gomisiynu gan Walter Hussey mor ddiweddar â 1946, er gwaethaf yr ysbrydolrwydd cudd oedd yn ei waith cynharach, o fugeil-luniau Palmeraidd ei ysgythriadau i'r anhrefn apocalyptaidd a fynegodd fel Artist Rhyfel. Yn union ar ôl y Croeshoeliad dan gomisiwn Hussey, dechreuodd Sutherland lif di-dor o weithiau crefyddol, llawer ohonynt i eglwysi. Y tapestri yn Eglwys Gadeiriol Coventry, *Crist mewn Gogoniant* (1958), yw'r enwocaf. Rhoddwyd ei waith *Y Disgyniad* (1947) mewn arwerthiant o gasgliad Stephen Spender ym 1963 a phrynodd John y darn am £1,600. Bron nad oedd y peintiad dwys hwn, oedd yn tynnu ar ddelweddaeth gyfoes, yn hollol groes i 'ledrithiol'.

Roedd Sutherland wedi teimlo'r angen i wneud sylw ar erchyllterau'r Natsïaid a pheintiodd y Disgyniad hwn â'i ffigwr esgyrnog gwta dair blynedd ar ôl rhyddhau'r gwersyll-garcharau. Mae'n tynnu ar ddelweddau arswydus y ffilmiau newyddion o gyrff newynog yn cael eu symud i feddau torfol gan y milwyr oedd wedi rhyddhau'r lleoedd hyn. Mae ei gymhariaeth â'r stori Feiblaidd yn ei wneud yn fyfyrdod diamser ar greulondeb dyn. Roedd Sutherland yn gweld yr holocost fel math o Groeshoeliad drachefn. Nid oes llygaid, trwyn na cheg ar wyneb y ffigwr canolog - gallai gynrychioli Crist neu Iddewon eraill - ac mae'r corff yn cael ei gario gerfydd ei draed a'i ddwylo fel y rhai yn y ffilmiau newyddion yn hytrach na chael ei ddyrchafu fel mewn lluniau traddodiadol o'r Disgyniad. Nid yw hyn yn gadael unrhyw amheuaeth am farwoldeb Crist. Roedd yn ymateb sydyn yn hytrach na chyfansoddiad wedi'i baratoi'n fanwl: mae'r ffordd y mae'r corff wedi'i ymestyn i ymylon y cynfas (gan adael y cludwyr yn rhannol anweladwy), y ffaith fod y bedd yn rhyfedd o agos at y groes, a thebygrwydd digyfryngiad y corff i ddioddefwyr y gwersylloedd angau oll yn brawf o hyn.

Ar ôl taith gyntaf *Yr Eglwys a'r Artist*, cafodd gweithiau unigol eu benthyg am gyfnod hir i wahanol sefydliadau addysgol a chanolfannau myfyrio. Digwyddodd rhywbeth i *Disgyniad* Sutherland oedd yn destun syndod mawr i John.

One of the outstanding works in the Methodist collection was purchased by John himself, outside the budget that he had provided to Douglas Wollen. Wollen had approached Graham Sutherland about a commission on the subject of Easter. Sutherland was unable to oblige, and felt that this part of Christ's story was different from all others for a painter because it was 'magical'.[44] Sutherland's first religious painting had been commissioned by Walter Hussey as recently as 1946, despite the latent spirituality in his earlier work, from the Palmeresque pastorals of his engravings to the apocalyptic destruction he expressed as a War Artist. Immediately after the Crucifixion commissioned by Hussey, Sutherland began a continuous flow of religious works, many of them for churches, of which the Coventry Cathedral tapestry *Christ in Glory* of 1958 is the most famous. His *Deposition* of 1947 went to auction in 1963 from the collection of Stephen Spender and was bought by John for £1,600. It was almost the opposite of 'magical': a visceral painting that drew on contemporary imagery.

Sutherland felt the need to comment on the Nazi atrocities, and the emaciated figure of this Deposition, painted just three years after the liberation of the concentration camps, draws on the horrifying newsreel imagery of starved bodies being moved into mass graves by the liberating troops. However, its analogy to the Biblical story takes it from a re-statement of the same images in paint to a timeless meditation on man's cruelty. Sutherland felt the holocaust to be a sort of Crucifixion. The central figure's face is blank in this painting – it could be Christ or could stand for other Jews. The body is swung from its extremities like those in the newsreels, leaving no ambiguity about Christ's mortality, rather than borne up as in traditional Depositions. It was an immediate response, not a highly studied composition, as indicated by the attenuation of the body to the edges of the canvas (leaving the bearers half invisible), the odd proximity of the tomb to the cross and the unmediated likeness of the body to the victims of the death camps.

After the initial tour of *The Church and the Artist* individual works were loaned in the long term to various educational institutions and retreats. Something happened at this time to Sutherland's *Deposition* that John found remarkable. He told the story himself in 1990[45],

Patrick Heron (1920-1999),
Croes a Chanhwyllau: Liw Nos, 1950, olew ar gynfas, 49.5x39.2cm, Casgliad yr Eglwys Fethodistaidd o Gelf Gristnogol Fodern, Rhif 15
Patrick Heron (1920-1999),
Crucifix and Candles: Night, 1950, oil on canvas, 49.5x39.2cm, Methodist Church Collection of Modern Christian Art, No. 15

Adroddodd y stori ei hun ym 1990[45],

> *Am gyfnod, bu'r llun ar wal coridor mewn ysgol breswyl i ferched. Ar ddiwedd y tymor, roedd un o'r merched yn gweld y llun mor gythryblus ac mor ingol a dirdynnol nes iddi deimlo bod rhaid iddi gael gwared arno.*

Aeth y ferch â'r llun adref gyda hi, lle daeth ei chwaer o hyd iddo a threfnu iddo gael ei ddychwelyd yn ddienw i'r ysgol.Aeth i Marlbnorough Fine Art am waith adfer lle bachodd Sutherland ar gyfle i'w weld e eto a'i lofnodi. I John, roedd y digwyddiad hwn yn dangos grym y peintiad a phŵer gwaredigaeth. Dywedodd,

> *For a time the picture hung in the corridor of a girls' boarding school.At the end of the term, one of the girls found the picture so disturbing and so distressing and harrowing that she felt it must be removed.*

The girl took the picture home, where her sister discovered it and arranged for it to be returned anonymously to the school. It went to Marlborough Fine Art for restoration, where Sutherland took the opportunity to see it again and sign it, which he had not done originally. For John, the whole event showed both the power of the painting and the power of redemption. He said,

Gall rhai darluniau o Gelf Fodern fod mor deimladwy ac mor gythryblus, ac eto mae hyn yn tystio i nerth y llun a'r ffaith fod ganddo neges sy'n gallu mynd y tu hwnt i amser. Crist wedi'i roi i orwedd yn y bedd ac yn rhannu trallod Dyn gydag ef - dyna beth yw hyn.

Roedd yr hyn a ddigwyddodd i'r gwaith hwn gan Sutherland yn dangos peryglon benthyca gweithiau celf gwerthfawr i ysgolion a cholegau ond roedd yn fynegiant pwysig o ffydd mewn pobl, ac yn ffordd o sicrhau bod y gweithiau'n cyrraedd yr union leoedd lle gellid myfyrio arnynt a chael profiad ohonynt.

Aeth John ati'n frwd eto i brynu gweithiau ar gyfer casgliad y Methodistiaid o 1990 ymlaen, pan roedd y gweithiau'n dechrau cael eu dangos ar deithiau unwaith eto. Prynodd beintiad coeth a myfyrgar o allor gan Patrick Heron mewn arwerthiant. Symudodd Heron i Gernyw ym 1956 lle aeth ei waith yn gwbl haniaethol, a daeth yn aelod blaenllaw o Ysgol St Ives. Cododd y peintiad cynharach hwn o'i ddiddordeb mawr yn un o weithiau Titian, *Teulu Vendramia* yn yr Oriel Genedlaethol yn Llundain. Y teitl gwreiddiol a roddodd ar y peintiad oedd, *Croes a Chanhwyllau ger Ffenestr Agored, Liw Nos*, ac ysgrifennodd at John amdano ym 1990, 'ar ochr dde [peintiad Titian], yn uchel i fyny ar yr allor, mae croes a chanhwyllau, ac rwy'n meddwl bod fflamau'r gannwyll yn dangos chwa o awel fel y maen nhw yn fy mheintiad i.' Mae'n dangos defnydd cynnil Heron o liw i effeithio ar naws, a'r llinell egnïol, bywiog a ddefnyddiodd yn ei gyfnod olaf o luniau cynrychiadol.

Yn 1991 prynodd John waith bychan Eric Gill, *Cyfarchiad,* drwy Ymddiriedolaeth Gibbs. Efallai mai Gill oedd yr enwocaf o holl artistiaid crefyddol Prydain o ddechrau'r ugeinfed ganrif, eto i gyd cyflawnodd amrywiaeth fawr o waith fel teipograffydd, darlunydd, cerfiwr llythrennau, cerflunydd ac arlunydd. Gwnaeth Gill y llun dyfrlliw hwn i'w ddangos ar fath o epidiasgop ar gyfer sioe sleidiau Nadolig; mae'r ddelwedd o chwith i'r ffordd y bwriedid iddi gael ei gweld. Yn ôl yr arfer, mae'r cyfarchiad fel llun o ystafell Mair. Mae'r Angel Gabriel wedi'i wisgo'n annodweddiadol mewn gwisg amryliw, gydag eurgylch o dân, ond mae'n cario'r lili gonfensiynol i ddynodi purdeb Mair. Mae'r arysgrifiadau'n darllen bron fel swigod siarad mewn cartŵn - 'Ave Maria' (henffych Fair) uwchben yr Angel a 'Fiat Mihi' (boed ef i fyfi) nesaf at Mair. Er bod Gill ymhlith y cerflunwyr cyntaf i gofleidio haniaeth, mae gan y

So moving and so disturbing can be certain representations of Modern Art, and yet this speaks to the strength of the picture and the fact that it has a message that can transcend all time. It is Christ laid in the tomb and sharing Man's sorrow with him.

The fate of the Sutherland was an example of the risks in lending valuable works of art to schools and colleges; yet to do this was an important expression of trust in people and a way of ensuring that the works reached the very places where they could best be contemplated and experienced.

John enthusiastically purchased again for the Methodist collection from 1990 onwards when works were beginning to be shown on tour again. He bought at auction a delicate and contemplative Patrick Heron painting of an altar. Heron moved to Cornwall in 1956, where he became a leading member of the post-War St Ives School and his work became fully abstract. This earlier painting resulted from his fascination with Titian's *The Vendramia Family* in the National Gallery in London. He originally titled it *Crucifix and Candles by an Open Window, Night* and wrote about it to John in 1990, 'at the right hand side [of the Titian], high up on the altar, are crucifix and candles, and I think that the candle flames are registering a draught of air as they are in my painting.' The painting exemplifies Heron's controlled use of colour to affect mood and the energetic, lively line used in his last period of representational pictures.

In 1991, John bought through the Gibbs Trust Eric Gill's tiny *Annunciation.* Gill was perhaps the most famous of all British religious artists in the early twentieth century, yet also accomplished an enormous range of work as a typographer, illustrator, letter carver, sculptor and painter. This watercolour was made to be shown on a kind of epidioscope for a Christmas slide show; the image is reversed from the way it was intended to be seen. As is usual, the Annunciation is depicted as an interior in Mary's room. The Angel Gabriel is uncharacteristically dressed in a multi-coloured robe, with a fiery halo, but bears the conventional lily to mark Mary's purity. The inscriptions read almost as speech bubbles in a cartoon – 'Ave Maria' (Hail Mary) above the Angel and 'Fiat Mihi' (Let it be unto me) next to

Eric Gill (1882-1940),
Cyfarchiad, tua 1912, dyfrlliw ar bapur (i'w daflunio), 9x12cm, Casgliad yr Eglwys Fethodistaidd o Gelf Gristnogol Fodern, Rhif 12

Eric Gill (1882-1940)
*Annunciation, c.*1912, watercolour on paper (for projection), 9x12cm, Methodist Church Collection of Modern Christian Art, No.12

ddelwedd hon ansawdd traddodiadol o ran trefn a naturiolaeth, er iddi gael ei gwneud pan oedd Ciwbiaeth ar ei hanterth tua 1912.

Hefyd ym 1991, gofynnodd John i Norman Adams ystyried comisiwn ar gyfer casgliad y Methodistiaid, gan ofyn yn arbennig am destun dyfodiad Crist i Jerwsalem. Ysgrifennodd Adams yn ôl, 'Hoffwn wneud hwn yn fawr iawn – a dweud y gwir rydw i eisoes wedi dechrau gwneud brasluniau petrus ar gyfer y testun – wedi'r cyfan, Sul y Blodau yw hi. Testun ardderchog – wn i ddim pam nad ydw i wedi ei beintio o'r blaen.'[46]

Daeth rôl John fel Aelod o Bwyllgor Celf Amgueddfa Genedlaethol Cymru ac o Bwyllgor Gwaith y Gymdeithas Gelfyddyd Gyfoes am dros ugain mlynedd, â chyfleoedd eraill i ddod â chelf o flaen llygaid y cyhoedd. Ym 1980

Mary. Although Gill was one of the earliest sculptors to embrace abstraction, this image retains a traditional quality of order and naturalism, despite being done at the height of Cubism around 1912.

Also in 1991, John asked Norman Adams to consider a commission for the Methodist collection, requesting specifically the subject of Christ's entry into Jerusalem. Adams wrote back, 'I should like to do this very much – In fact I have already started to make tentative studies for the subject – it is after all, Palm Sunday. A wonderful subject – I cannot think why I have never painted it before.'[46]

John's role as a member of the Art Committee of the National Museum of Wales and the Executive of the Contemporary Art Society brought other occasions to make works of art publicly accessible. In 1980, he

Alfred Sisley (1839-1899), *Y Clogwyn ym Mhenarth, Gyda'r Hwyr,* Trai, 1897, olew ar gynfas, 54.4x65.7cm, Amgueddfeydd ac Orielau Cenedlaethol Cymru, NMW A 2695

Alfred Sisley (1839-1899),
The Cliff at Penarth, Evening, Low Tide, 1897, oil on canvas, 54.4x65.7cm, National Museums & Galleries of Wales, NMW A 2695

rhoddodd gouache o waith Peter Lanyon, un o arlunwyr enwog Ysgol St Ives, oedd wedi bod yng nghasgliad y teulu ers amser yn anrheg i'r Gymdeithas. Gwnaeth Lanyon y gwaith flwyddyn cyn iddo farw mewn damwain gleider yn 46 oed, pan oedd yn ennill enw iddo'i hun ar lwyfan rhyngwladol ac yn teithio'n helaeth. Roedd John yn bwriadu ei roi fel gwobr mewn raffl i godi arian, ond sylweddolodd y Gymdeithas ei fod yn rhy werthfawr i wneud hynny ac fe'i cynigiwyd i Amgueddfa Genedlaethol Cymru yn lle.

Ym 1993, helpodd ymddiriedolaeth teulu Gibbs yr Amgueddfa i brynu peintiad Alfred Sisley *Y Clogwyn ym Mhenarth, Gyda'r Hwyr, Trai.* Er bod y Gronfa Casgliadau Celf Genedlaethol wedi rhoi arian sylweddol at yr achos, helpodd y rhodd i gyflawni'r arian cyfatebol. Roedd y peintiad yn golygu llawer iawn i deulu'r Gibbs. Nid yn unig oedd yn cyd-fynd â gweithiau Argraffiadwyr Ffrengig y chwiorydd Davies oedd mor adnabyddus yn yr Amgueddfa, ond roedd yn darlunio'r olygfa o'r clogwyni gyferbyn â Sea Roads a'r sianel lle roedd llongau Morel a

made a gift to the Society of a gouache, which had been in the family collection for some time, by the outstanding St Ives painter Peter Lanyon. The work was done the year before Lanyon died in a gliding accident at the age of forty-six, when he was achieving an international reputation and travelling widely. John's intention was that it should be raffled to raise funds, but the Society realised that it was too valuable for this and instead offered it to the National Museum of Wales.

In 1993, the Gibbs family trust assisted the purchase by the Museum of Alfred Sisley's painting *The Cliff at Penarth, Evening, Low Tide.* While significant funding came from the National Art Collections Fund, the donation helped to complete the match funding. The painting meant a great deal to the Gibbs family. Not only did it complement the famous French Impressionist works bequeathed to the Museum by the Davies sisters, but it depicted the view from the

Peter Lanyon (1918-1964),
Atsain o Giwba, 1963, gouache a ffrotais golosg ar bapur, 27.6x35.5cm, Amgueddfeydd ac Orielau Cenedlaethol Cymru, NMWA 18639
Peter Lanyon (1918-1964),
Cuban Echo, 1963, gouache and charcoal frottage on paper, 27.6x35.5cm, National Museums & Galleries of Wales, NMWA 18639

Gibbs wedi aros i fynd i Ddociau Caerdydd. Gwnaeth Sisley ryw ugain o beintiadau yn ystod ei ymweliad â de Cymru yn haf 1897 – mae un o Fae Langland ym Mro Gŵyr yn Oriel Gelf Glynn Vivian yn Abertawe.[47] Dyma'r unig beintiadau o Gymru gan unrhyw Argraffiadydd Ffrengig ac maent yn dangos y diddordeb nodweddiadol yn ansawdd y golau, naws ac amser y dydd. Peintiodd Sisley'r ddau ddarn yn ystod dwy flynedd olaf ei fywyd, pan oedd yn dioddef o ganser, ac maent yn dangos y brys a'r cyfansoddiad minimol yr oedd Monet yn eu darganfod yn Ffrainc yr un pryd. Bwriad Sisley oedd dal nodweddion arbennig y creigiau a'r llaid adeg trai a chysgod dwfn y clogwyni yn y lliwiau yng ngolau'r hwyr. Roedd gwawr biws a gwyrddlas yr olygfa tua Ynys Ronech ac i lawr y clogwyni tua Larnog yn gyfarwydd iawn i deulu'r Gibbs. Roedd anachroniaeth cael golygfa mor gyfarwydd wedi'i pheintio gan Ffrancwr, ac yntau'n Argraffiadydd enwog, a'r cyfan gan mlynedd yn ôl, yn gwneud i lawer o ymwelwyr â'r Amgueddfa feddwl o'r newydd am weithiau'r Argraffiadwyr yno a'r dirwedd y maent yn byw ynddi.

cliffs opposite Sea Roads to the channel where over the decades Morel and Gibbs ships had waited to enter Cardiff Docks. Sisley made some twenty paintings during a visit to south Wales in the summer of 1897.[47] The only paintings of Wales by any French Impressionist, these show characteristic concerns with atmosphere and time of day. Painted in the last two years of Sisley's life, when he was suffering from cancer, they display the urgency that was being discovered at the same time in France by Monet. Sisley's title underlined his intention to capture the particular qualities of the rocks and mud at low tide and the deep shadow cast from the cliffs in the complementary colours to the evening light. The mauve and turquoise glow of the view towards Steep Holm and down the cliffs to Lavernock was well-known to the Gibbs family. The anachronism of having such a familiar scene painted by a Frenchman, and a famous Impressionist, and a hundred years ago, made many visitors to the Museum think freshly about both

Ar y lefel symlaf o ran cyfarwyddo llygaid y cyhoedd â chelf, roedd John a Sheila yn rhannu eu lluniau eu hunain yn rheolaidd trwy sicrhau eu bod ar gael i eraill eu gweld, yn arbennig drwy gynllun ymweliadau 'lluniau mewn cartref' Cymdeithas Celfyddyd Gyfoes Cymru. Mater bach oedd hyn o'i gymharu â'u hymrwymiadau eraill, ond ni ellir tanbrisio pwysigrwydd y math hwn o weithgaredd wrth annog pobl eraill i gymryd rhan mewn celf, ac yn enwedig celf Gymreig gyfoes. Roedd hefyd yn tanlinellu eu mwynhad, nid o feddu ar eu lluniau yn gymaint â gweld eraill yn ymateb iddynt. Wrth gofio'r ymweliadau 'lluniau mewn cartref', dywedodd Phyllis Bowen,

> *Cawsom ein siomi ar yr ochr orau yn aml gan y lluniau hardd sydd gan rai pobl yn eu cartrefi na wyddech chi ddim am eu bodolaeth o gwbl. Mae un yn arbennig yn sefyll allan, sef peintiad gwych Christopher Wood roedd Dr Gibbs yn ddigon ffodus i fod yn berchen arno....*[48]

Byddai John a Sheila'n benthyca gweithiau pwysig i arddangosfeydd pryd bynnag y gofynnwyd amdanynt o'r 1940au tan y 1990au. Mor gynnar â 1956 roedd John a Sheila ymhlith rhyw dri dwsin o aelodau o Gymdeithas Celfyddyd Gyfoes Cymru a roddodd fenthyg gweithiau o'u casgliad i arddangosfa yn dwyn y teitl *Dewis Aelodau*, oedd yn teithio i Fangor, Caerdydd ac Abertawe. Cyfraniad teulu'r Gibbs oedd gweithiau Armstrong, Piper a Wood a gwaith Michael Edmonds, *Ceffyl Gwyn Uffington*. Rhoesant fenthyg lluniau i'w gosod ochr yn ochr â'r rhai o Gasgliad Celf y Methodistiaid pan ddaeth hwnnw i Dŷ Turner ym 1990 hefyd.

Ni pheidiodd John a Sheila â sicrhau bod eu casgliad preifat ar gael i eraill. Un enghraifft, sy'n ddiddorol oherwydd natur gylchol ei dylanwad, oedd iddynt adael i'r Friends of Kettle's Yard o Gaergrawnt ymweld â'u cartref ym 1995, ryw ddeugain mlynedd ar ôl i ddylanwad Jim Ede ddod o'r cyfeiriad arall.

the Impressionist works there and the local landscape. John and Sheila regularly shared their own pictures by making them available for others to see, particularly through the Contemporary Art Society for Wales's 'pictures in a home' visits. This was a minor matter compared with the other commitments they made, but the importance of this type of activity in encouraging others to participate in art, and especially contemporary Welsh art, cannot be underestimated. It also underlined their enjoyment not in possessing their pictures so much as seeing others respond to them. When Phyllis Bowen recalled the 'pictures in a home' visits she said,

> *We have often been agreeably surprised at the beautiful pictures which some people own and of which you had no knowledge at all. One in particular stands out, Christopher Wood's wonderful painting that Dr Gibbs had the happiness to possess....*[48]

Important works were loaned to exhibitions whenever requested, from the 1940s to the 1990s. As early as 1956 John and Sheila were among some three dozen members of the Contemporary Art Society for Wales who loaned works from their collection to an exhibition titled *Members' Choice*, touring to Bangor, Cardiff and Swansea. They provided the Armstrong, Piper, Wood and Michael Edmonds' *The White Horse of Uffington*. Pictures were also loaned to sit alongside those from the Methodist art collection when it came to Turner House in 1990.

John and Sheila never stopped making their private collection available to others. One example, interesting for its circularity of influence, was that in 1995 they allowed the Friends of Kettle's Yard in Cambridge to visit their home, some forty years after Jim Ede's influence had come in the opposite direction.

Ceisiodd y seicolegydd o Ffrainc Dr Henry Codet nodi proffil y casglwr yn ei *Essai sur le Collectionisme* ym 1921. Enwodd bedair ffactor seicolegol yng ngwneuthuriad y casglwr: y reddf feddiannol, y rheidrwydd i ychwanegu at y casgliad yn ddigymell, yr awydd i wella ar y pethau a gafwyd eisoes, a'r angen am statws cymdeithasol.[49]

Roedd gan John Gibbs holl reddfau'r casglwr o ran porslen. Ym 1952 etifeddodd gasgliad porslen ei fam, a gwerthodd sawl darn er mwyn prynu eraill, gan ganolbwyntio ar waith yr artist Thomas Baxter. Yn ddiwyd ac yn systemataidd, adeiladodd un o'r casgliadau pwysicaf o borslen Abertawe a Nantgarw. Ond nid oedd yr un o nodweddion seicolegol y casglwr a nododd Codet yn wir am weithgareddau casglu John a Sheila ym maes celf. Nid oedden nhw'n feddiannol ond yn rhoi gweithiau i ffwrdd ar hyd eu hoes. Roedden nhw'n ymateb yn gyflym i bob cyfle pan oedd rhaid, er enghraifft er mwyn prynu mewn arwerthiant, ond roedd eu sylw wedi'i hoelio bob amser ar ddiben y prynu, nid y wefr o fynd ar ôl darn arbennig . Roedden nhw am gyflawni cymaint ag y gallent, ond wrth ychwanegu eitemau at eu casgliadau roedden nhw'n hapus i ychwanegu fesul tipyn, a gellir dweud mai'r gweithiau pwysicaf oedd y rhai a brynwyd ym 1948, yn gynnar iawn yn eu hoes o gasglu. Nid oedd eu gwaith casglu celf byth yn dangos erioed awydd am statws cymdeithasol. Yn wir, roedd llawer o'u gwaith casglu'n ddienw heb unrhyw gydnabyddiaeth gyhoeddus nac ymhlith eu cymheiriaid.

Cyfraniad John a Sheila oedd rhoi gweithiau celf i sefydliadau cyhoeddus, datblygu casgliad o gelf grefyddol oedd ar gael i'r cyhoedd a chreu amgylchedd ysgogol iddyn nhw eu hunain, i'w plant ac i'w hwyrion. Mae'r gweithgareddau hyn yn herio ein syniad o gasglu fel rhywbeth cul neu feddiannol gydag un canlyniad pendant. Roedd John a Sheila'n gweld celf fel rhywbeth allai ddyfnhau ac efallai trawsnewid profiad o fywyd. Mae'r cyhoeddiad hwn a'r arddangosfa sy'n cyd-fynd ag ef yn estyn cyfle i rannu ffrwyth eu llafur ar ôl eu marwolaeth.

The French psychologist Dr Henri Codet sought to identify the profile of the collector in his *Essai sur le Collectionisme* in 1921. He named four psychological factors in the collector's make-up: the possessive instinct, the necessity for spontaneous additions to the collection, the desire to out-do previous acquisitions, and the need for social standing.[49]

John Gibbs certainly had some of the collector's instincts when it came to porcelain. In 1952 he inherited a collection started by his mother, and sold several pieces in order to buy others, concentrating on the work of the artist Thomas Baxter. He assiduously and systematically built up one of the most significant collections of Swansea and Nantgarw porcelain. However, little of Codet's psychological profile of the collector could be applied to John or Sheila's activities in art. They were not possessive, but gave works away throughout their lives. They reacted quickly to opportunities when necessary, for example to buy at auction, but they were always focused on the final purpose of any purchase, not just the thrill of chasing it. They wanted to achieve as much as they could, but in adding items to their collections they were happy to make incremental contributions, and their most important acquisitions were those made in 1948, near the beginning of their collecting lives. A need for social standing was never expressed through their art collecting, much of which was done anonymously, without recognition either publicly or among their peers.

The contributions of John and Sheila Gibbs were to provide works of art for institutions, develop a publicly available collection of religious art, share their works with others, and make a stimulating environment for themselves, their children and their grandchildren. These activities challenge our idea of collecting as something narrow or possessive, with a single concrete outcome. John and Sheila saw that art could deepen or transform experience of life for all who had the opportunity to encounter it. This publication and the accompanying exhibition are a posthumous occasion for the fruits of their activities in collecting to be shared.

John Gibbs gyda thri o'i wyrion ar Fynydd Llangynidr yn y 1980au (Joseph sydd ar y chwith)
John Gibbs with three of his grandchildren on Llangynidr Mountain in the 1980s (Joseph is on the left)

Fy oriel gelf gyntaf: atgof gan Joseph Gibbs

Gwasgodd tad-cu fy llaw ac arhoson ni wrth y drws,
'Nawr Joseph, wyt ti'n cofio beth ddysgaist ti yn y caffi heddiw?' gofynnodd.
'Ydw Tad-cu!' atebais.
Roeddwn i wedi cyffroi'n lân wrth edrych i mewn i'r ystafell enfawr, olau. Ysmiciodd ei lygaid yn araf a nodio'i ben. Yna, heb edrych arna' i eto, rhywbeth oedd yn golygu ei fod e'n fy nghredu, dywedodd, 'Bachgen da,' a dyma ni'n mynd i mewn - i fy oriel gelf gyntaf. Roeddwn i'n bump oed.

Roeddwn i'n meddwl ein bod ni wedi mynd i'r caffi'n gynharach am fod tad-cu'n sychedig, neu am ei fod yn gwybod 'mod i'n hoffi cacennau, neu am nad oedden ni'n cael mynd i'r oriel tan *rywbeth* o'r gloch; ond ymarfer oedd e.

'Mae e'n union fel Pelmaniaeth, Joseph,' meddai Tad-cu wrth i ni edrych trwy'r ffenestr ar y cacennau a'r byns. 'Cofia bopeth elli di ei weld.' Roeddwn i'n un da am

My first art gallery: a recollection by Joseph Gibbs

Grandfather pressed my hand and we stopped in the doorway. 'Now Joseph, do you remember what you learned in the café today?' he asked.
'Yes Grandfather!' I said.
I was very excited looking ahead into the massive, light room. He blinked slowly and nodded. Then without looking at me again, which meant he believed me, he said, 'Good boy,' and in we walked - into my first art gallery. I was five years old.

I thought we had gone to the café earlier because Grandfather was thirsty, or he knew I liked cakes, or we weren't allowed into the gallery till something o'clock; but really it was practice.

'It's just like Pelmanism, Joseph,' Grandfather said as we looked through the window at the display of cakes and buns. 'Remember everything you can see.' I was good at Pelmanism, the game we played where you have to remember where all the cards are, but I didn't

Belmaniaeth, gêm lle mae rhaid cofio ble mae'r cardiau i gyd, ond doeddwn i ddim yn meddwl bod edrych ar gnau toes yr un peth o gwbl. Roedd y rhai fan hyn yn fawr ac yn felys, a dangosais i nhw i Tad-cu.

'Da iawn, ond rydw i am i ti edrych ar bopeth cyn penderfynu. Dim ond un dewis sydd gen ti.'
'Mmm… cneuen does…,' meddai fi, gan esgus meddwl.
'Aros,' machgen annwyl i,' meddai â'i lygaid ar gau, 'dwyt ti ddim wedi gweld beth sy tu mewn, hyd yn oed. Nawr rydyn ni'n mynd i gerdded yn araf iawn ar hyd y cownter fel ein bod ni'n gweld popeth cyn eistedd.' Gollyngodd fy llaw a dweud wrthyf am ddilyn. Gwnaeth y drws sŵn "bong". 'Helo,' galwodd ef ar y fenyw. Roedd hi'n gwybod ei enw arall ac meddai, 'Bore da, Dr Gibbs'. Pan glywais i hynny, am eiliad bach teimlwn yn bwysig iawn, ac yna dywedodd Tad-cu yr hoffai gael bwrdd iddo'i hun a'i ŵyr ac meddai, 'mae hwnna draw fanna'n berffaith'. Roeddwn i wedi tyfu i fyny ac ro'n i ar fy ffordd i'r oriel gelf gyda Dr Gibbs.

Ond yn fwy na hynny – roeddwn i, fy hun, yn mynd i brynu rhywbeth. Anrheg bedydd, rhywbeth roedd fy nhad-cu wedi'i brynu i bob un o'i wyrion, ond hyd yma, ef oedd wedi eu dewis nhw. Roedd pawb wedi ymateb i'r syniad ohonof i, yn bump oed, yn prynu rhywbeth a allai fod yn waith celf drud. Roedd mam a dad yn bryderus ac yn synnu'n fawr,' a mrodyr hŷn yn gweld y peth yn sgandal ac yn cenfigennu ataf i'n cael gwneud rhywbeth oedd yn perthyn i fyd oedolion, rhywbeth nad oedden nhw wedi'i wneud. Oherwydd hyn roeddwn i wedi cyffroi mwy fyth ac ychydig yn nerfus, ond gan nad oedd Tad-cu'n poeni, dim ond am eiliad y meddyliais i am y peth. Cyn hir, roeddwn i wedi anghofio pwy oedd Dr Gibbs ac roeddwn i'r tu ôl i Tad-cu, yn edrych ac yn meddwl am fy nghneuen does.

Aeth ef gryn ffordd at ein bwrdd, heibio i'r cownter cacennau cyfan. Cymrodd hydoedd oherwydd, er na pheidiodd â cherdded unwaith, edrychodd ar yr holl blatiau o gacennau, pob un ohonynt, gan gau ei lygaid a nodio'i ben ar ôl gorffen fel petai'n gallu eu blasu nhw a'u pwyso ar ei aeliau gwyn. Byddai'n edrych yn ôl i wneud yn siŵr fy mod i'n gwylio cyn mynd ymlaen at y platiaid nesaf. Drwy'r amser cadwai ei ddwylo'n llonydd y tu ôl i'w gefn fel eu bod yn cydbwyso'i farf wrth iddo blygu ymlaen.

think looking at jam doughnuts was like that at all. The ones here were puffed up and sugary and I pointed them out to Grandfather.
'Good, but I want you to look at everything before you decide. You have only one choice.'
'Mmm… a doughnut…' I said, pretending to think.
'Wait, my dear boy,' he said with his eyes closed, 'you haven't even seen what's inside. Now we are going to walk very slowly along the counter so that when we sit we've seen everything.' He let go of my hand and told me to follow. The door made a bong sound. 'Hello,' he called to the lady, who knew his other name and said, 'Good morning Dr Gibbs'. When I heard that, just for a second I felt very important, and when Grandfather said he'd like a table for himself and his grandson and told the lady 'the one over there is splendid', I was a grown up and on the way to an art gallery with Dr Gibbs.

More, though – I was actually going to buy something myself. It was a Christening present, something that my Grandfather had bought for each of his grandchildren, but until now they had been things he had chosen. Everyone had reacted to the idea of me, five years old, buying what might be an expensive work of art. My mum and dad were worried and surprised and my older brothers scandalised and envious at me doing something enormously adult that they hadn't done. It made me even more excited and a bit nervous too, but as Grandfather wasn't worried I only thought about it for a second. Soon I'd forgotten who Dr Gibbs was and was behind Grandfather, watching and thinking about my doughnut.

He went a long way to our table, past the whole cake counter. It took ages because, even though he never stopped walking, he looked at all the cake trays, at each one, closing his eyes and nodding when he'd finished as though he could taste them and weigh them on his raised white eyebrows. He'd look back to check I was watching before going on to the next tray. All the time he kept his hands still and behind his back so they balanced his beard when he bowed forward.

Then it was my turn and Grandfather watched. I realised that following Grandfather was harder than I thought. I walked, nodding at the small and boring

Yna daeth fy nhro i a gwyliodd Tad-cu fi. Sylweddolais wedyn fod dilyn Tad-cu'n anos na'r disgwyl. Cerddais, gan nodio'mhen ar y pethau bach a diflas, ond pan welais yr eclairs siocled, arhosais i. Y rhain oedd ffefryn fy mrawd; roedden nhw bob amser yn gadael staen tywyll ar ymylon ei geg oedd yn para'n hirach na'r mwstas siwgr roeddwn i'n ei gael o gnau toes. Bu'n rhaid i Tad-cu ddweud wrtha' i am ddal i fynd. Cerddais ymlaen, gan nodio'n frysiog er mwyn dal i fyny, a'm dwylo'n dal ei gilydd yn llonydd y tu ôl i 'nghefn. 'Dim ond ymarfer yw hwn, Joseph,' meddai Tad-cu wrthyf ar ôl eistedd. 'Fan hyn rwyt ti i fod i edrych, ond mewn rhai bwytai yr unig gyfle gei di i weld y pwdin fydd yr hyn a weli di ar droli 'falle, neu ar fyrddau pobl eraill wrth i ti gerdded i mewn. Ar ôl hynny, byddi di ond yn gallu darllen amdanyn nhw yn y fwydlen.' Plygodd Tad-cu tuag ataf i dros y bwrdd crwn, 'Felly mae'n bwysig iawn, pryd bynnag yr ei di i fwyty, dy fod di'n cerdded yn araf fel y gelli di weld popeth cyn dewis.'

Pwysodd Tad-cu'n ôl, 'Caf i baned o de a sleisen o darten Bakewell, os gwelwch yn dda. A beth hoffet ti'i gael, Joseph?' Ro'n i'n gwybod yr union bethau ond doeddwn i ddim yn gwybod sut i ofyn amdanyn nhw i gyd.
'Mmm, oren... os gwelwch yn dda,' dywedais.
'Da iawn,' meddai Tad-cu, gan roi ei law dros fy nwylo lle roedden nhw'n dechrau rhwygo'r napcyn, 'Diod oren. Beth hoffet ti i'w fwyta?'

'Doedd fy mrawd John ddim yno felly doedd dim angen eclair arna' i. Cnau toes - ond pa un? Roedd ganddyn nhw fy nau ffefryn, y rhai jam a'r rhai hir wedi'u hollti ac afal yn eu canol nhw – a'r rhai crwn â thwll yn eu canol. Roeddwn i wastad wedi meddwl tybed pa flas cyffrous fyddai arnyn nhw, ond byth digon i ddewis un. Roedd yn rhaid i mi ddweud rhywbeth.
'Cneuen does jam'.
'Wyt ti'n siŵr?' meddai Tad-cu, gan edrych arnaf i'n ofalus. Cnois fy ngwefus. Roedd afal yn blasu'n well a gallwn weld bod yna ddigon ym mhob un ond wyddwn i ddim faint o jam oedd yn y math crwn. Gallai fod llwythi, y tu ôl i'r clwyf bach gwaedlyd. Nodiais fy mhen ar Tad-cu a nodiodd yntau ar y fenyw.

Allwn i ddim gorffen fy nghneuen does. Roedd y jam i gyd wedi rhedeg allan a doedd dim hyd yn oed twll i'w fwyta. Ond doedd dim ots gan Tad-cu. A dweud y gwir roedd i'w weld yn falch. Dywedodd fy mod i wedi dysgu

things, but when I saw the chocolate éclairs I stopped. They were my brother's favourite, always leaving a dark stain at the corners of his mouth that lasted longer than the sugar moustache I got from doughnuts. Grandfather had to tell me to keep going. I walked on, nodding quickly to catch up, with my hands holding each other still behind my back.
'This is just a practice, Joseph,' Grandfather told me when we were sitting down. 'In here you're supposed to look, but in some restaurants the only chance to actually see the puddings will be what you can see on a trolley, maybe, or on other people's tables as you walk in. After that you can only read about them in the menu.' Grandfather leant towards me over the round table, 'So it's terribly important that whenever you go into a restaurant, walk slowly so that you can see everything before you make a choice.'

Grandfather lent back, 'I'll have a cup of tea and a slice of Bakewell tart, please. And what would you like Joseph?' I knew the exact things but didn't know how to ask for them all.
'Mmm, some orange... please,' I said.
'Good,' said Grandfather, putting one hand over both of mine where they were starting to tear the napkin, 'Some orange squash. What would you like to eat?'

John my brother wasn't here so I didn't need an éclair. Doughnuts – but which one? They had both my favourites, the jam ones and the long ones sliced with apple poured in – and the ring ones with a hole in the middle. I'd always wondered what exciting taste they would have, but never quite enough to choose one.
I had to say something.
'A jam doughnut'.
'Now are you sure?' Grandfather said, looking at me carefully. I chewed my lip. Apple tasted better and I could see there was plenty in each one but I didn't know how much jam there was in the round kind. There could be tons, behind the little bleeding wound. I nodded at Grandfather and he nodded at the lady.

I couldn't finish my doughnut. The jam had run out and there wasn't even any hole to eat. Grandfather didn't mind though. Actually he seemed pleased. He said that I had learned enough and that now we were ready to go to the gallery – once I had wiped off my moustache using the napkin.

digon a'n bod ni'n barod i fynd i'r oriel – ar ôl i mi sychu fy mwstash siwgr gyda'r napcyn.

Felly pan gerddon ni i mewn i'r oriel anferth, gyda'i lloriau pren swnllyd oedd yn gwichian o dan f'esgidiau cynfas ac yn clopian dan esgidiau Tad-cu, a phethau wedi'u harddangos o flaen waliau gwyn clir, er mai pump oed oeddwn i, roeddwn i'n barod i ddewis fy anrheg bedydd. Roedd Tad-cu wedi dod â mi i'r arddangosfa am fod yno lawer o grochenwaith, a gwneud pethau â chlai oedd fy hoff beth yn yr ysgol.

Fe gerddon ni o gwmpas y neuadd i gyd gan edrych yn ofalus iawn ar bopeth. Roedden ni'n dal dwylo, ond tasen ni ddim byddwn i wedi eu rhoi nhw tu ôl i 'nghefn. Ar y diwedd aethon ni heibio eto i'r pethau roeddwn yn eu hoffi – dau wrn crochenwaith gyda gobledi i gyd-fynd â nhw; roeddwn i'n dychmygu marchogion yn eu harfwisg yn yfed ohonynt. Roedd iddyn nhw liw pridd tywyll ond gyda lliwiau llachar eraill ar ei ben oedd yn chwyrlïo fel olew wrth i chi edrych. Dywedodd Tad-cu mai'r enw ar hwnnw oedd y sglein. Y gwahaniaeth rhyngddynt oedd bod un wedi'i addurno ag adar tywyll yn hedfan, siapiau oedd yn atgoffa Tad-cu o wenoliaid duon, a'r llall yn blaen. Cnois fy ngwefus. Onid oedd 'sglein' yn rhywbeth i wneud â chacennau? Ond roedd hynny ar y ddau.
'Yr un gyda'r adar,' penderfynais.
'Wyt ti'n siŵr?' gofynnodd Tad-cu. Nodiais fy mhen a nodiodd Tad-cu at y fenyw wrth y ddesg. Wedi i mi lynu un o'r dotiau oren a roddodd hi i mi yn ymyl fy wrn a'm gobled, ac un ar fy siwmper, dyma ni'n ffarwelio â'r fenyw, oedd hefyd yn galw Dr Gibbs ar Tad-cu.

Doeddwn i erioed wedi penderfynu dim byd mor bwysig o'r blaen. Roeddwn i'n meddwl 'mod i'n hoffi'r rhai ag adar, ond nawr ein bod ni'n mynd, doeddwn i ddim mor siŵr.
'Da iawn,' meddai Tad-cu pan oedden ni'r tu allan.
'Beth, Tad-cu?' gofynnais.
Rhoddodd ei ddwylo tu ôl i'w gefn.
'Hwnna fyddwn i wedi'i ddewis.'

So when we walked into the massive gallery, with loud wooden floors that squealed under my plimsolls and clopped under Grandfather's shoes, with things displayed in front of clear white walls, even though I was five I felt ready to choose my Christening present. Grandfather had brought me to this exhibition because there was a lot of pottery, and making things with clay was my favourite thing at school.

We walked around the whole hall looking very carefully at everything. We held hands, but if we hadn't I would have had them behind my back. At the end we went again past the things I liked – two pottery urns with matching goblets that I imagined knights in armour would drink from. They were deep earth-coloured but with other bright colours on top that swirled like oil as you looked. Grandfather said that that was called the glaze. The difference between them was that one was decorated with dark flying birds, shapes that reminded Grandfather of swifts, and the other one was plain. I bit my lip. Wasn't glaze something to do with cakes? But they both had that.
'The one with the birds,' I decided.
'Are you sure?' Grandfather asked.
I nodded at Grandfather and Grandfather nodded to the lady at the desk. Once I had stuck one of the orange dots she gave me next to my urn and goblet, and one on my Parka, we said goodbye to the lady, who also called Grandfather Dr Gibbs.

I'd never decided anything so important before.
I thought I liked the ones with birds, but now we were going I wasn't so sure.
'Good,' said Grandfather when we were outside.
'What, Grandfather?' I asked.
He put his hands behind his back.
'That was the one I'd have chosen.'

Mike Bailey (g.1943), wrn a gobled, 28cm ac 13cm
Mike Bailey (b.1943), bottle and goblet, 28cm and 13cm tall

Nodiadau

[1] Peter Wakelin, *Creu Cymuned o Arlunwyr: 50 mlynedd o'r Grŵp Cymreig* (Amgueddfeydd ac Orielau Cenedlaethol Cymru, Caerdydd, 1999).

[2] Hussey roddodd ei gomisiwn crefyddol cyntaf i Sutherland ym 1946, gofynnodd i Moore wneud cerflun o'r Forwyn a'i Phlentyn, a prynodd dapestri gan Piper a darbwyllodd Ceri Richards i gynllunio cobau. Hefyd comisiynodd gerddoriaeth gan Benjamin Britten a Michael Tippett.

[3] 'All things considered', BBC Radio Wales, Mehefin 1990

[4] Ymysg yr enghreifftiau eraill mae Jim Ede, fyddai'n benthyca gweithiau i fyfyrwyr Caergrawnt, a chasgliadau elusennol fel y Gymdeithas Celf Gyfoes a *Pictures in Hospitals*.

[5] John Morel Gibbs *Morels of Cardiff: The History of a Family Shipping Firm* (Amgueddfeydd ac Orielau Cenedlaetho Cymru, Caerdydd, 1982), t. 105-6.

[6] John Morel Gibbs, *James Pyke Thompson The Turner House, Penarth, 1888-1988* (Amgueddfeydd ac Orielau Cenedlaethol Cymru, Caerdydd, 1990).

[7] John a Sheila Gibbs, *Trinity Methodist Church, Penarth: A Portrait* (Methodist Publishing House, 1994).

[8] Nodiadau hunangofiannol teipysgrif heb ddyddiad, tua 1955.

[9] Catalog arddangosfa, Michael Mullin, *Design by Motley* (Prifysgol Illinois, 1988).

[10] M.K. Smith,'James Butterworth, Christian Youth Work and Clubland', *Encyclopaedia of Informal Education* (Butterwortth, 2002).

[11] Ymhlith ei bapurau a gyhoeddwyd roedd, 'Group Play Therapy', *British Journal of Medical Psychology* (1945) a 'Methodist Influences on National Education Policy'.

[12] John a Sheila Gibbs, *Militant and Triumphant: A Pageant of the Church* (Methodist Youth Department).

[13] James Gibbs, nodiadau cofiannol ar gyfer angladd Sheila Gibbs, 2004.

Notes

[1] Peter Wakelin, *Creating an Art Community: 50 Years of the Welsh Group* (National Museums & Galleries of Wales, Cardiff, 1999).

[2] Hussey gave Sutherland his first religious commission in 1946, asked Moore to make a Madonna and Child, purchased a Piper tapestry and prevailed on Ceri Richards to design copes. He also commissioned music from Benjamin Britten and Michael Tippett.

[3] 'All things considered', BBC Radio Wales, June 1990.

[4] Among other examples are Jim Ede, who loaned works to Cambridge students, and charitable collections such as those of the Contemporary Art Society and Pictures in Hospitals.

[5] John Morel Gibbs, *Morels of Cardiff: The History of a Family Shipping Firm* (National Museums & Galleries of Wales, Cardiff, 1982), pp. 105-6.

[6] John Morel Gibbs, *James Pyke Thompson The Turner House, Penarth, 1888-1988* (National Museums & Galleries of Wales, Cardiff, 1990).

[7] John and Sheila Gibbs, *Trinity Methodist Church, Penarth: A Portrait* (Methodist Publishing House, 1994).

[8] Undated typescript autobiographical notes, *c.*1955.

[9] Exhibition catalogue, Michael Mullin, *Design by Motley* (University of Illinois, 1988).

[10] M.K. Smith, 'James Butterworth, Christian Youth Work and Clubland', *Encyclopaedia of Informal Education* (Butterworth, 2002).

[11] Among his published papers were 'Group Play Therapy', *British Journal of Medical Psychology* (1945) and 'Methodist Influences on National Education Policy'.

[12] John and Sheila Gibbs, *Militant and Triumphant: A Pageant of the Church* (Methodist Youth Department).

[13] James Gibbs, biographical notes for the funeral of Sheila Gibbs, 2004.

[14] Ymgynghorodd Gwendoline a Margaret Davies â Hugh Blaker ac eraill; cafodd Derek Williams ei gyflwyno i waith sawl artist gan Howard Roberts, ac ni phrynodd ddim wrth neb arall am flynyddoedd mawr.

[15] Sylwadau a wnaed gan Sheila Gibbs wrth yr awdur yn 2004

[16] John Piper, Seaton Delaval, *Orion* (1945), dyfyniad o *John Piper* (Tate, Llundain, 1983), t. 93.

[17] Michel Remy, *Surrealism in Britain* (Ashgate, Aldershot, 1999). t. 36-9

[18] Bil gwerthiant o Oriel Redfern, 14 Hydref 1948.

[19] Herbert Read, *Paul Nash* (Penguin, Llundain, 1944) t.11.

[20] Llythyr Sheila Gibbs at William Gibbs, 20 Ebrill 1980. Ym 1977 ysgrifennodd Amgueddfa ac Oriel Gelf Dinas Birmingham at Syr Rex Nan Kivell oedd wedi ymddeol o'r Redfern a dychwelyd i Seland Newydd, ond nid oedd yn cofio i bwy roedd wedi gwerthu'r llun. Papurau Rex Nan Kivell, Amgueddfa Genedlaethol Awstralia, MS4000, ffolder 69 (diolch i Karen Johnson o'r NLA am chwilio am yr ohebiaeth).

[21] Roger Cardinal, *The Landscape Vision of Paul Nash* (Reaktion Books, Llundain, 1989) t. 38 a 127.

[22] Mae'r llun wedi ei ddangos mewn arddangosfeydd o waith Wood a drefnwyd gan Kettle's Yard ym 1974, Cyngor Celfyddydau Prydain ym 1979, Newlyn Art Gallery ym 1989 a'r Musée des Beaux-Arts de Quimper ym 1997.

[23] Diolch i William Gibbs am y sylw hwn.

[24] I bob golwg, yr unig weithiau a brynwyd rhwng 1948 a 1956 oedd *Traeth Gwyntog II* Buckand Wright, o arwerthiant stiwdio ym 1954 ar ôl marwolaeth yr artist, ac astudiaeth gan Ray Howard-Jones. Cafodd y pâr beintiad yn rhodd gan Michael Edmonds ym 1954 hefyd, sef *Ceffyl Gwyn, Uffington.*

[25] Nodiadau wedi'u teipio gan John Morel Gibbs ar gyfer 'Lluniau mewn Cartref', 1995.

[26] Roger Wollen, *Catalogue of the Methodist Church Collection of Modern Christian Art* (Ymddiriedolwyr Casgliad yr Eglwys Fethodistaidd o Gelf Gristnogol Fodern, Rhydychen, 2003), t.126.

[14] Gwendoline and Margaret Davies consulted Hugh Blaker and others; Derek Williams was introduced to the work of many artists by Howard Roberts, and for many years bought from no-one else.

[15] Comments by Sheila Gibbs were made to the author in 2004.

[16] John Piper, Seaton Delaval, *Orion* (1945), quoted in *John Piper* (Tate, London, 1983), p. 93.

[17] Michel Remy, *Surrealism in Britain* (Ashgate, Aldershot, 1999), pp. 36-9.

[18] Redfern bill of sale, 14 October 1948.

[19] Herbert Read, *Paul Nash* (Penguin, London, 1944), p. 11.

[20] Letter from Sheila Gibbs to William Gibbs, 20 April 1980. In 1977 the City Museum and Art Gallery in Birmingham wrote to Sir Rex Nan Kivell, who had retired from the Redfern to New Zealand, but he could not recall to whom he had sold the picture. Papers of Rex Nan Kivell, National Library of Australia, MS4000, folder 69 (I am grateful to Karen Johnson of the NLA for looking up this correspondence).

[21] Roger Cardinal, *The Landscape Vision of Paul Nash* (Reaktion Books, London, 1989), pp. 38 and 127.

[22] The picture has been shown in Wood exhibitions organised by Kettle's Yard in 1974, the Arts Council of Great Britain in 1979, Newlyn Art Gallery in 1989 and the Musée des Beaux-Arts de Quimper in 1997.

[23] I am grateful to William Gibbs for this observation.

[24] It appears that the only works purchased between 1948 and 1956 were *Windy Shore II* by Buckland Wright, bought from a studio sale in 1954, after the artist's death, and a study by Ray Howard-Jones. The couple were also given a painting by Michael Edmonds in 1954, *The White Horse, Uffington*.

[25] Typed notes by John Morel Gibbs for 'Pictures in a Home', 1995.

[26] Roger Wollen, *Catalogue of the Methodist Church Collection of Modern Christian Art* (Trustees of the Methodist Church Collection of Modern Christian Art, Oxford, 2003), p. 126.

[27] Keith Bell, *Stanley Spencer* (Phaidon, Llundain, 1999) t. 54-5.

[28] Nodiadau arddangosfa ar gyfer *Yr Eglwys a'r Artist*, Tŷ Turner, 1990.

[29] Mae'n debyg bod catalog arddangosfa Malthouse yn Nhŷ Turner yn cynnwys y ddau gouache hyn, gyda'r dyddiad 1955. Mae'n cydnabod Sheila Gibbs am fenthyca dau ddarn dienw.

[30] Ena Kendall, 'Plain Man's Painter', cylchgrawn yr *Observer*, 3 Rhagfyr 1972, t. 63-5.

[31] Catalog ar gyfer arddangosfa deithiol Cyngor Celfyddydau Cymru, *Pryniadau Diweddar: Arddangosfa o weithiau a gafwyd gan Gymdeithas Celf Gyfoes Cymru 1973-8*, t.2.

[32] *Ibid.*

[33] *Ibid.*

[34] Cafodd ei arddangos yn Orielau Leicester, Ionawr 1944 ynghyd â gweithiau o gasgliad Syr Michael Sandler; cafodd ei werthu yn Christie's ym Mawrth 1987 fel eiddo'r diweddar Fonesig Anderson gyda label yn dweud; 'eiddo Syr Colin Anderson, Admiral's House, Hampstead'. Cafodd ei fenthyca wedyn i arddanosfa *Map o Feddwl yr Artist*, Amgeddfeydd ac Orielau Cenedlaethol Cymru, 1995, rhif 28.

[35] *A Way of Life: Kettle's Yard* (Kettle's Yard, Caergrawnt, 1996), t. 26.

[36] Mel Gooding, 'The School Prints', *Art Review*, Gorffennaf 1980

[37] *Lucian Freud* (Random House, Efrog Newydd, 1996), t. 11. Gellir cymharu'r peintiad hwn â *Cyw Iâr Marw* dyddiedig Awst 1943 a *Cyw Iâr Mewn Bwced*, 1944, hefyd mewn graffit a phensel lliw ar bapur, *Cwningen ar Gadair*, 1944, *Aderyn Pâl Wedi Pydru*, 1944 a *Crychydd Marw*, 1945.

[38] Dyfynnwyd yn Ronald Alley, *William Scott* (Methuen, Llundain, 1963).

[39] Arddangoswyd gan yr artist yn *British Council Modern British Painting for Europe* 1947-8 ac yn *Works by William Scott*, Orielau Leicester, 1948.

[27] Keith Bell, *Stanley Spencer* (Phaidon, London, 1999), pp. 54-5.

[28] Exhibition notes for *The Church and the Artist*, Turner House, 1990.

[29] The catalogue of Malthouse's Turner House exhibition appears to include these two gouaches, dated 1955. An acknowledgement is given to Sheila Gibbs for loan of unidentified works.

[30] Ena Kendall, 'Plain Man's Painter', *Observer* magazine, 3 December 1972, pp. 63-5.

[31] Catalogue for Welsh Arts Council touring exhibition, *Recent Purchases: An exhibition of works acquired by the Contemporary Art Society for Wales 1973-8*, p. 2.

[32] *Ibid.*

[33] *Ibid.*

[34] Exhibited at Leicester Galleries, January 1944, with works from the collection of Sir Michael Sandler; sold at Christie's in March 1987 as the property of the late Lady Anderson with a label saying, 'property of Sir Colin Anderson, Admiral's House, Hampstead'. It was loaned subsequently to the exhibition *Map of the Artist's Mind*, National Museums & Galleries of Wales, 1995, no 28.

[35] *A Way of Life: Kettle's Yard* (Kettle's Yard, Cambridge, 1996), p. 26.

[36] Mel Gooding, 'The School Prints', *Art Review*, July 1980.

[37] *Lucian Freud* (Random House, New York, 1996), p. 11. The painting is comparable with *Dead Chicken* dated August 1943 and *Chicken in a Bucket* of 1944, also in graphite and coloured pencil on paper, *Rabbit on a Chair* of 1944, *Rotted Puffin* of 1944 and *Dead Heron* of 1945.

[38] Quoted in Ronald Alley, *William Scott* (Methuen, London, 1963).

[39] Exhibited by the artist at 'British Council Modern British Painting for Europe' 1947-8 and at 'Works by William Scott', Leicester Galleries, 1948.

[40] Mae Andrew Causey, *Edward Burra: Complete Catalogue*, (Phaidon, Rhydychen, 1985), rhif catalog 293, yn ei ddyddio i 1962-3. Cafodd y llun ei gynnwys mewn arddangosfa o Swrrealaeth Brydeinig yng Nghaergaint yn y 1990au ac fe'i gosodwyd yn yr adran 1920-30.

[41] 14 Awst 1962, dyfyniad o Roger Wollen, *Op. Cit.*, t. 66.

[42] 'All things considered', BBC Radio Wales, Mehefin 1990.

[43] Roger Wollen, *Op. Cit.*, t. 20-1.

[44] Cofnodwyd gan Douglas Wollen mewn erthygl ar gyfer *The Methodist Recorder*, 23 Mawrth 1978, t. 13.

[45] 'All things considered', BBC Radio Wales, Mehefin 1990.

[46] Llythyr oddi wrth Norman Adams at John Gibbs, 24 Mawrth 1991.

[47] Prynodd Amgueddfeydd ac Orielau Cenedlaethol Cymru un o luniau Sisley o Fae Langland, Penrhyn Gŵyr yn 2004.

[48] Phyllis Bowen, *The Baker's Daughter: Recollections by Phyllis Bowen of Pontypridd* (Merton Priory Press, Caerdydd, 2002), t. 144.

[49] Dyfyniad o Pierre Caban, *The Great Collectors* (Cassell, Llundain, 1963), t. vii-viii.

[40] Andrew Causey, *Edward Burra: Complete Catalogue*, (Phaidon, Oxford, 1985), catalogue no 293, dates it to 1962-3. The picture was included in an exhibition of British Surrealism at Canterbury in the 1990s when it was placed in the 1920-30 section.

[41] 14 August 1962, quoted in Roger Wollen, *Op. Cit.*, p. 66.

[42] 'All things considered', BBC Radio Wales, June 1990.

[43] Roger Wollen, *Op. Cit.*, pp. 20-1.

[44] Recorded by Douglas Wollen in an article for the *Methodist Recorder*, 23 March 1978, p. 13.

[45] 'All things considered', BBC Radio Wales, June 1990.

[46] Letter from Norman Adams to John Gibbs, 24 March 1991.

[47] A Sisley of Langland Bay in Gower was purchased by the National Museums & Galleries of Wales in 2004.

[48] Phyllis Bowen, *The Baker's Daughter: Recollections by Phyllis Bowen of Pontypridd* (Merton Priory Press, Cardiff, 2002), p. 144.

[49] Quoted in Pierre Caban, *The Great Collectors* (Cassell, London, 1963), pp. vii-viii.

Diolchiadau Hawlfraint

Mary Fedden © Yr Artist

Austin Wright © Ystâd Austin Wright ac Oriel Hart

John Piper © Ystâd Piper

Michael Edmonds © Yr Artist.

David Jones © Ymddiriedolwyr Ystâd David Jones

Lucian Freud © Yr Artist

Ernest Zobole © Atgynhyrchwyd gyda chaniatâd caredig Ystâd Zobole

Jack Crabtree © Yr Artist. Ffotograff: Dinas a Sir Abertawe: Oriel Gelf Glynn Vivian

Frank Brangwyn © Ystâd yr Artist.

Frank Roper © Teulu Frank Roper

Richard Eurich © Drwy garedigrwydd Ystâd yr Artist/www.Bridgeman.co.uk

Eric Gill © Drwy garedigrwydd Ystâd yr Artist/www.Bridgeman.co.uk

Sidney Nolan © Drwy garedigrwydd Ystâd yr Artist/www.Bridgeman.co.uk

Peter Lanyon © Sheila Lanyon

Norman Adams © Yr Artist

William Scott © Ystâd William Scott

John Nash © Ymddiriedolwyr Ystâd John Nash

Edward Burra © Drwy Garedigrwydd Oriel Lefevre

Copyright Acknowledgements

Mary Fedden © The Artist

Austin Wright © The Estate of Austin Wright and Hart Gallery

John Piper © The Piper Estate

Michael Edmonds © The Artist.

David Jones © Trustees of the David Jones Estate

Lucian Freud © The Artist

Ernest Zobole © Reproduced by kind permission of the Zobole Estate.

Jack Crabtree © The Artist. Photograph: City and County of Swansea: Glynn Vivian Art Gallery.

Frank Brangwyn © Estate of the Artist.

Frank Roper © Family of Frank Roper

Richard Eurich © Courtesy of the Artist's Estate/www.Bridgeman.co.uk

Eric Gill © Courtesy of the Artist's Estate/www.Bridgeman.co.uk

Sidney Nolan © Courtesy of the Artist's Estate/www.Bridgeman.co.uk

Peter Lanyon © Sheila Lanyon

Norman Adams © The Artist

William Scott © William Scott Estate

John Nash © Trustees of the John Nash Estate

Edward Burra © Courtesy of Lefevre Gallery